301

PROVAS &
PROFECIAS
SURPREENDENTES

Mostrando Que
Deus Existe

Peter & Paul Lalonde

301

PROVAS & PROFECIAS

SURPREENDENTES

Mostrando Que Deus Existe

Peter & Paul Lalonde

ACTUAL
EDIÇÕES

Fone: (51) 3241.5050 • Fax: (51) 3249.7385
www.chamada.com.br • mail@chamada.com.br
Caixa Postal 1688
90001-970 • Porto Alegre/RS • BRASIL

Traduzido do original em inglês:
"301 Startling Proof & Prophecies - Proving That God Exists"

Copyright © 1996 by Peter and Paul Lalonde
Publicado por Prophecy Partners Inc.,
Niagara Falls, Ontario, Canada

Tradução: Bruno César Pasquini
Revisão: Victor Hugo Michel
Edição: Ingo Haake
Capa e Layout: Ricardo Rempel

© 1999 Actual Edições
R. Erechim, 978 - B. Nonoai
90830-000 - PORTO ALEGRE - RS/Brasil
Fones: (51) 3241-5050 - FAX: (51) 3249-7385
www.chamada.com.br - mail@chamada.com.br

Composto e impresso em oficinas próprias

CATALOGAÇÃO NA FONTE DO
DEPARTAMENTO NACIONAL DO LIVRO

L212t

Lalonde, Peter.
301 provas & profecias surpreendentes
mostrando que Deus existe / Peter & Paul
Lalonde; [tradução: Bruno César Pasquini.]. -
Porto Alegre : Actual, 1999.
208p. ; 15x22cm.

ISBN 85–87278–05–3
Tradução de: 301 startling proofs & prophecies
proving that God exists.

1. Deus - Prova de existência. 2. Bíblia -
Profecias. I. Lalonde, Paul. II. Título.

CDD-231.042

Índice

Parte 1: Provas Surpreendentes

Criação do Universo 11
Um Universo Jovem ou Velho? 19
Evidência de um Projeto? 35
A Teoria da Evolução de Darwin 47
O Registro Fóssil e os Elos Perdidos 61
Colunas Geológicas e Datação por Fósseis 69
Noé e o Dilúvio 71
De Onde Nós Viemos? 83
E Quanto Aos Dinossauros? 89
A Precisão Científica da Bíblia 91
Arqueologia e a Bíblia 99
A Precisão Histórica da Bíblia 105

Parte 2: Profecias Surpreendentes

Profecias Sobre Israel 133
A Invasão Russa de Israel 141
Profecias "High-Tech" 147
Profecias Sobre a Nova Ordem Mundial 157
Profecias sobre o Mundo Natural 169
Religião e Engano Religioso 179
Profecias Sobre o Nascimento de Jesus 187
Profecias Sobre a Cruz 193

Para Patti:

Nos doze anos em que estamos casados, sempre me impressionei com a maneira que o Senhor a tem usado para o Seu reino. Normalmente você trabalha árdua e silenciosamente nos bastidores, mas Paul e eu achamos que nossos leitores deveriam saber que este livro não teria sido possível sem sua dedicação e pesquisa meticulosa.

Parte 1

Provas
Surpreendentes

Introdução

Introdução à Parte 1

A criação do universo e **o início** da vida na Terra foram eventos simultâneos. Como eles aconteceram nunca poderá ser provado pela ciência, que requer experimentação repetida e evidência empírica observável. Ainda assim, muitos crêem que os cientistas têm a última palavra em termos de como o universo começou. Além disso, muitos acreditam que a ciência tem provado que a criação bíblica nunca aconteceu. O que tentaremos fazer na primeira parte deste livro, em linguagem simples, é demonstrar que o criacionismo, contrariamente à crença popular, se alinha perfeitamente às descobertas científicas de nossos dias. Também iremos demonstrar que a teoria da evolução - que muitos têm esquecido que *é* tão somente uma teoria - carece de evidências científicas e empíricas em várias coisas. Iremos, ainda, demonstrar que o universo e a vida na Terra sugerem que havia um projetista inteligente por trás de tudo.

Criação do Universo

1.

Se Não Foi Criação, Então Foi o Quê?

Os cientistas chamam-na de primeira lei da termodinâmica. Isaac Asimov disse que "essa lei é considerada a mais poderosa e mais fundamental generalização que os cientistas já foram capazes de fazer sobre o universo."[1] Que lei é essa que se encontra no alicerce de toda a ciência moderna? É o fato de que **enquanto é possível converter matéria em energia (como o calor produzido pela lenha queimando), é impossível criar energia ou matéria do nada.** Então, uma vez que reconhecemos que nosso universo é constituído de matéria e energia, temos que encarar a realidade de que elas devem ter vindo de algum lugar. Apesar dos incríveis avanços da ciência moderna, permanece o fato de que nenhuma das nossas teorias científicas pode sequer começar a explicar de onde a matéria e a energia vieram. **A Criação é a única alternativa plausível que alguém já foi capaz de sugerir.**

1 Asimov, Isaac, "No Jogo da Energia e da Termodinâmica Não Se Pode Empatar", *Journal of Smithsonian Institute* (junho de 1970), p. 6.

2.

Tem Que Ter Havido um Começo...

Por séculos os cientistas defenderam a idéia de que o universo era infinito e eterno. Sendo assim, muitos argumentavam que *não houve um começo* e, portanto, **nada para um criador fazer.** Atualmente, porém, nós sabemos que a quantidade de energia disponível no universo está diminuindo. E os cientistas concordam que, se o universo está perdendo energia, ele não pode ser eterno, ou infinito. Ele terá um fim da mesma forma que deve ter tido um começo. Os cientistas conhecem esse princípio como a segunda lei da termodinâmica. É fascinante saber que **as duas descobertas mais fundamentais da ciência argumentam *a favor* da criação, não contra ela!**

"...se a sua teoria revela ser contrária à segunda lei da termodinâmica, eu não posso lhe dar qualquer esperança; nada resta para ela, a não ser desmoronar em profunda humilhação."

-Sir Arthur Eddington

3.
Um Início Requer um Iniciador

Foi apenas no começo do século XX que o modelo de Newton, de um universo infinito e eterno, foi finalmente esmagado. O golpe final foi a descoberta da teoria geral da relatividade por Albert Einstein. A teoria matemática de Einstein parecia provar que tudo no universo estaria se afastando do resto, sugerindo que alguém ou alguma coisa deveria ter colocado as coisas em movimento num primeiro momento. Embora Einstein não gostasse disso (ele era ateu), sua própria descoberta forçou-o a admitir que o universo tinha que ter um início. E, **se houve um início, não deveria haver um iniciador?**

4.
Einstein, Hubble e o Universo em Expansão

Quando a teoria geral da relatividade de Einstein foi publicada em 1917, ela era apenas um conceito e ninguém sabia como testá-la. Mas no mesmo ano o maior telescópio do mundo estava finalmente pronto para ser usado em observações. Doze anos mais tarde, em 1929, o astrônomo Edwin Hubble (que emprestou o nome ao atual Telescópio Hubble) foi capaz de provar que a teoria de Einstein estava realmente correta. O que o telescópio mostrou foi que todas as outras galáxias no universo estavam se distanciando de nós. A partir destas observações nasceu a teoria do Big Bang. Os cientistas sabiam que, de acordo com a lei da inércia, essas galáxias tinham que ter sido postas neste tipo de movimento por alguma força externa. E já que as galáxias estavam se movendo de uma forma semelhante aos resultados da explosão de uma bomba, surgiu a teoria de que o universo veio a existir como resultado de uma enorme explosão ("Big Bang"). **Uma coisa era certa, o universo teve um começo.**

5.
O Que Veio Antes do Big Bang?

A idéia de uma grande explosão (Big Bang) faz sentido. Várias técnicas de observação confirmam que cada galáxia que conseguimos enxergar está, de fato, se afastando das outras. Se todas as galáxias estão atualmente se afastando umas das outras, deve ter havido um tempo no qual todas estavam mais juntas. Aliás, de acordo com os cálculos matemáticos de Einstein e com as novas descobertas científicas, tudo o que constitui o universo esteve uma vez tão compactado que não ocupava espaço algum! Embora seja difícil imaginar, a teoria sugere que uma explosão dispersou o Universo para longe, como uma bomba faria. De acordo com esta teoria largamente aceita, a expansão do universo que estamos testemunhando atualmente é simplesmente o resultado daquela explosão.

Entretanto, **Stephen Hawking, uma das maiores autoridades mundiais sobre o cosmo, admite que esta teoria nem mesmo tenta responder à questão de onde nós e o resto do universo viemos.**

6.

Essa Teoria Não Está Invertida?

A teoria do Big Bang tornou-se uma das mais populares quanto à formação do Universo. No entanto, existem falhas na teoria. Uma delas é que **o resultado de uma explosão é destruição e caos, não a ordem sistemática**. Um empreiteiro, por exemplo, não colocaria todos os seus materiais numa grande pilha com algumas bananas de dinamite, explodiria a dinamite, e então esperaria que o resultado fosse um prédio de escritórios perfeitamente construído. Mas é isto o que a teoria do Big Bang está essencialmente sugerindo: que a vida ordenada que nós hoje vemos foi o resultado de uma explosão.

7.

Quem Estabeleceu a Lei?

Alguns têm argumentado que a ordem do universo foi criada pelas leis da gravidade. Essencialmente, esta proposta sugere que a força da gravidade atrai e mantém juntos, num delicado equilíbrio, todas as estrelas, planetas, asteróides, galáxias, etc. O que esses cientistas estão reivindicando é que o que começou como um caos foi "colocado nos eixos" pela lei da gravidade. Os criacionistas teriam que perguntar, de saída, de onde vieram essa lei da gravidade e as outras leis naturais. Estariam estes cientistas sugerindo que as leis naturais têm algum tipo de poder místico em si mesmas? E, **por que haveria leis ordenadas num universo que, momentos antes, surgiu aleatoriamente do caos?**

8.

Cientistas Provam o Começo

Em 1992 houve grande entusiasmo com as descobertas de uma equipe de astrofísicos que tem pesquisado as mais recentes descobertas do COBE (Cosmic Background Explorer – Explorador das Profundezas Cósmicas), um sofisticado satélite em órbita ao redor da Terra. Há muito os cientistas têm reivindicado que, se a teoria do Big Bang estiver correta, então teria de haver "ondulações" ou variações de temperatura na radiação das profundezas do universo. Os astrofísicos afirmam que o COBE encontrou essas ondulações perdidas há muito tempo. Enquanto a teoria do Big Bang ainda continua sendo apenas uma teoria, tais descobertas são de tremenda importância para os criacionistas bíblicos, já que elas **confirmam mais uma vez que o universo teve um começo**. Aliás, até mesmo muitos astrônomos não teístas tiveram que chegar a algumas conclusões teístas acerca destas descobertas. Stephen Hawking, um professor de matemática na Universidade de Cambridge e um dos mais brilhantes homens do mundo, reconheceu: "É a descoberta do século, senão a maior de todos os tempos."[1] Michael Turner, do Laboratório Nacional Fermi, próximo a Chicago, comentou: "É impossível exagerar a importância disto. Eles encontraram o cálice sagrado da cosmologia."[2] George Smoot, chefe do projeto COBE acrescentou: "O que nós encontramos é a evidência do nascimento do universo."[3] O ponto principal é: **se o universo teve um início, ele tem que ter um iniciador**.

"Para o cientista que viveu por sua fé no poder da razão, a história [do Big Bang] termina como um pesadelo. Nos últimos trezentos anos, os cientistas têm escalado a montanha da ignorância e, à medida que se arrastam para cima do pico mais alto, são saudados por um bando de teólogos que estão sentados lá há séculos."

- Robert Jastrow, Professor da Universidade de Columbia e fundador do Centro Espacial Goddard.

1 Nigel Hawkes, "A Caçada Pela Escuridão Secreta do Universo", *London Times,* 25 de abril de 1992, p. 1.
2 *International Herald Tribune*, "Cientistas norte-americanos encontram um 'Santo Graal': Ondulações no Limiar do Universo", 24 de abril de 1992, p. 1.
3 Ibid.

9.

Por Que o Universo Tem Alguns Lugares Mais Quentes?

Através das leis da física nós sabemos que o calor sempre flui dos corpos quentes para os corpos frios até alcançarem o estado de equilíbrio. Se o universo sempre tivesse estado aqui, então seu calor teria que estar uniformemente disperso por toda parte. Mas, não está. Logo, o universo tem estado aqui por um período de tempo menor do que a redistribuição de calor teria levado para acontecer.

10.

Cientistas Sem Saber o Que Dizer

Os cientistas não têm idéia de como o universo começou. Aliás, em 1995 o mundo da cosmologia foi jogado ao caos quando Tod Lauer e Marc Postman, do Instituto Científico do Telescópio Espacial, em Baltimore, produziram uma pesquisa que não se encaixa em *nenhuma* das teorias de como o universo funciona. Um artigo na revista *Time* disse que os dois jovens astrônomos passaram um ano tentando desmascarar seus próprios achados pois sabiam que iriam criar uma tremenda confusão. De sua pesquisa eles concluíram que uns poucos milhares de galáxias, incluindo a nossa própria, não estão se expandindo da mesma maneira ordenada que o resto do universo. A *Time* observou: "Os astrônomos têm aparecido com uma descoberta 'destruidora-de-teorias' após outra... Ninguém consegue dizer o que o tumulto significa – se o edifício intelectual da cosmologia moderna está cambaleando à beira de um colapso ou meramente sentindo medos crescentes à medida em que produz algumas esquisitices. 'Se você me perguntasse', diz o astrofísico Michael Turner do Laboratório Acelerador Nacional Fermi, próximo de Chicago, '[eu diria que] **ou nós estamos próximos de uma tremenda descoberta, ou estamos no fim da nossa imaginação.**'"[1] O artigo da revista *Time* ainda chegou a apontar outras "descobertas desnorteadoras... numa represa de perplexidades".

1 *Time,* matéria de capa, por Michael D. Lemonick e J. Madeleine Nash, 6 de março de 1995, p. 37.

11.

Um Ato de Fé

De acordo com o ponto de vista científico, o universo foi criado pela mais inacreditável seqüência de eventos extraordinários que se possa imaginar. Não há dados para apoiar tal ponto de vista, a não ser o desejo de evitar a conclusão óbvia, de que deve ter havido um "criador". Nós sabemos pela segunda lei da termodinâmica que qualquer sistema, deixado por si mesmo, irá entrar em colapso e deteriorar, e não se edificar e se tornar maior e mais complexo. Entretanto, se isto é verdade, como é que o universo conseguiu fazer exatamente o oposto? Esta é outra pergunta para a qual a ciência não tem resposta. Em outras palavras, **toda a idéia do Big Bang e de um universo naturalmente criado requer exatamente a mesma coisa que os cientistas denunciam nos cristãos... fé**.

Um Universo
Jovem ou Velho?

12.

O Tempo é Realmente o *Inimigo* da Evolução!

Um dos maiores pontos de contenda entre criacionistas e evolucionistas é a questão do tempo. É apenas com o tempo que a evolução supostamente se torna respeitável. **Algo que é totalmente impossível, repentinamente é considerado bastante razoável, quando você adiciona uma cláusula sugerindo que aquilo aconteceu ao longo de bilhões de anos**. Conforme comentou o evolucionista George Wald, "o tempo é o herói do enredo... dando muito tempo o 'impossível' se torna possível, o possível provável e o provável virtualmente certo. Basta esperar; o tempo, por si mesmo, faz milagres."[1] Entretanto, as leis da ciência apontam para um problema nessa questão. Essas leis nos dizem muito claramente que, com o tempo, as coisas se degradam. Elas não se tornam melhores. Uma árvore morre e se decompõe no solo, e não ao contrário. Assim sendo, cientificamente falando, o tempo é o *inimigo* da evolução, não seu amigo.

[1] Wald, George, *"A Origem da Vida"*, A Física e a Química da Vida, 1955, p. 12

13.

Qual a Idade do Universo?

Como os cientistas fazem atualmente para calcular a idade do universo? Para isso, duas informações são necessárias: quão distantes as galáxias já estão, e quão rapidamente elas estão se afastando.

A relação entre estas duas coisas irá, supostamente, nos dizer há quanto tempo o universo vem se expandindo. Isto é conhecido como a "Constante de Hubble". Mas será que os astrônomos podem realmente produzir uma estimativa precisa da idade do universo?

De acordo com David Branch, astrofísico da Universidade de Oklahoma, existem dois grandes problemas com esse método: "Qual é a distância e qual a velocidade corretas?"[1] A revista *Time* observou que "já que distâncias precisas só podem ser medidas por comparação, e galáxias úteis [para tal medição] só são encontradas no espaço longínquo, os astrônomos fazem o melhor que podem para superar o obstáculo. Eles usam as galáxias mais próximas para estimar as distâncias daquelas mais distantes. Mas o método é inexato, por isso eles não têm sido capazes de concordar quanto a que idade o universo realmente tem."[2] Por exemplo, usando os dados coletados pelo Telescópio Espacial Hubble, uma equipe de pesquisadores liderados por Wendy Freedman nos Observatórios Carnegie sugeriu que a idade do universo estaria entre 8 e 12 bilhões de anos. Por outro lado, dados coletados pelo Telescópio de Imagem Ultravioleta, colocado em órbita pelo ônibus espacial Endeavour, sugeriram que o universo tem 14 bilhões de anos de idade. O astrônomo Edwin Hubble havia calculado essa idade entre 15 e 20 bilhões de anos. Dependendo para quem você perguntar, os astrônomos lhe responderão que o universo está entre os 8 e os 20 bilhões de anos de idade.

1 *Time,* 6 de março de 1995, op. cit., p. 40.
2 Ibid.

14.

Rochas do Espaço

A maioria dos cientistas hoje concorda que a melhor estimativa da idade da Terra é alguma coisa em torno de 4,6 bilhões de anos. Como eles conseguiram chegar a este valor? Bem, eles usaram uma técnica chamada de datação radioisotópica, que se baseia nas medições precisas das taxas de vários isótopos radioativos encontrados em uma rocha. Nós iremos examinar mais a datação radioi-sotópica em alguns dos próximos pontos para deixá-la mais clara, mas primeiramente vamos dar uma olhada na rocha que os cientis-tas examinaram e testaram com o intuito de chegar nessa estimati-va. A rocha que eles escolheram foi um meteorito. Meteoritos são tidos como sendo pedaços de outro planeta que foi desintegrado em algum momento do passado. **A pressuposição que os cientis-tas estão fazendo é que esses meteoritos têm a mesma idade que a Terra!** Então, mesmo que se descubra que estas rochas têm algo em torno de 4,6 bilhões de anos, **será que isso realmente nos diz qualquer coisa sobre a idade da Terra?** Afinal, essas rochas nem mesmo são daqui.

15.

Fred Flinstone Estava a Salvo

Nós todos vemos estrelas cadentes. São meteoros que estão con-tinuamente caindo na direção da Terra e sendo desintegrados em nossa atmosfera. Aqueles que não se desintegram acabam caindo na Terra como meteoritos. Curiosamente, nós apenas encontramos tais rochas nas camadas mais elevadas da superfície da Terra. **Se os sedimentos da Terra estivessem depositados por milhões de anos, como os evolucionistas acreditam, deveríamos encontrar meteoritos através das várias camadas de sedimentos da super-fície da Terra. Mas o fato é que não os encontramos**.

16.

Evidência Não Confiável?

Algumas vezes a datação radioisotópica produz resultados dife-rentes em repetidos experimentos na mesma amostra. Este foi o ca-so do meteorito Allende. Na maioria dos casos, quando ocorre uma situação de estimativas de idades conflitantes, é determinado que a amostra da rocha deve ter sido de alguma forma contaminada, **e os resultados dos testes são simplesmente descartados.** Por causa da contaminação, os cientistas fazem uma cuidadosa seleção prévia das amostras. Mas, ao descartar uma amostra mesmo depois desta triagem prévia, eles estão admitindo que **é possível a contaminação ter ocorrido sem ter sido visivelmente detectada**. Mas como nós podemos saber que os resultados que *são* mantidos são precisos? E, talvez mais importante ainda, **como podemos saber que os resultados descartados não foram mantidos simplesmente por que não se alinhavam com aquilo que os paleontologistas achavam que eles deveriam ser?**

17.
Mais ou Menos Uns Poucos Bilhões de Anos

Testes foram realizados em rochas formadas pela lava do vulcão Hualalai no Havaí, que entrou em erupção entre 1800 e 1801. Foram usados vários métodos de datação radioisotópica, com cada teste produzindo idades diferentes *para as mesmas amostras*. As estimativas de idade vão de 140 milhões a 2,96 bilhões de anos. O mesmo aconteceu com a cratera Salt Lake em Oahu. Um teste datou a rocha em 400.000 anos. Outros produziram resultados que vão de 2,6 milhões a 3,3 bilhões de anos. Assim sendo, **a datação radioisotópica tem resultado em idades que não são apenas incorretas, mas que nem mesmo concordam entre si** – de fato, nem mesmo aproximadas elas são!

18.
Este Método de Datação é Nebuloso

Estudos também foram realizados em rochas de lava sob o oceano, para ver se a pressão da água faz alguma diferença nos resultados de datação. Amostras do monte Kilauea foram tomadas de uma profundidade de 4.680 metros. A erupção ocorreu há cerca de 200 anos. Os resultados dos testes, usando os métodos radioisotópicos de potássio a argônio, dataram a rocha em 21 ± 8 milhões de anos. Amostras apanhadas a 3.420 metros foram datadas em 12 ± 2 milhões de anos. E amostras tomadas de uma profundidade de 1.400 metros foram datadas em zero [anos]. **Todas as amostras eram do mesmo fluxo de lava**.

19.

Prova Não Conclusiva

Você pode estar pensando que, embora haja alguns problemas com este método de datação, ele ainda parece sugerir uma Terra que é muito velha, e não jovem como vista pelos criacionistas bíblicos. Mas a questão de fato é que **de todos os métodos de datação disponíveis, apenas uns poucos dão idades de milhões ou bilhões de anos, a saber, aqueles que usam técnicas radioisotópicas**.

20.

Houston, Nós Temos um "Pequeno Mistério"

Outra evidência para a hipótese de uma Terra jovem é encontrada no mistério do polônio-218. Alguns elementos, como o urânio-238, são conhecidos como materiais "pais". Os elementos que surgem quando os materiais pais se decompõem são conhecidos como materiais "filhos". A idade de uma rocha é determinada pelos sinais deixados por estes materiais filhos. O polônio é um desses materiais filhos. As marcas deixadas numa rocha por cada elemento, à medida em que eles se decompõem, são conhecidas como halos pleocróicos. Cada elemento produz seu halo próprio e único – deixando sua "assinatura" na rocha. Agora, **como o polônio é um filho, deve haver uma fonte, ou pai**. Por exemplo, quando o urâ-

nio ou o tório se decompõem, um dos elementos resultantes é o polônio. Então um halo pleocróico do polônio apareceria como um
círculo onde o polônio estava, ainda que o próprio polônio já não
esteja lá. Se existe um halo pleocróico para o polônio numa rocha,
deveria também haver um halo pleocróico para sua fonte, ou pai.
Entretanto, o polônio-218 tem sido encontrado em amostras de
granito sem qualquer evidência de um pai.

O polônio-218 tem uma meia-vida de 3,05 minutos, mas por
questão de simplificação, digamos que seja de 3 minutos redondos.
Por isso, se você tem um quilograma de polônio-218, depois que
três minutos tiverem se passado você terá meio quilograma, em
mais três minutos você terá um quarto de quilograma, e assim por
diante. Isto continua assim por cerca de 10 meias-vidas, ou trinta
minutos. Digamos que trinta meias-vidas tenham se passado, ou
cerca de uma hora e meia. O fato de o halo pleocróico do polônio-
218 ter ficado no granito, que é uma rocha metamórfica que uma
vez foi fundida, sem qualquer traço de um pai, parece sugerir que
ele foi o elemento original nestas rochas. E o fato de o halo do po-
lônio-218 ter sido deixado no granito, **significa que o granito deve ter esfriado em menos de noventa minutos**. A rocha, enquanto
ainda em estado fundido, teria destruído quaisquer traços do halo
do polônio-218. Então parece que a Terra pode ter sido criada sólida, com o elemento polônio-218 nela, num período extremamente
curto de tempo. Enquanto esta teoria não deixa de ter seus críticos,
**os evolucionistas têm chegado a admitir que isso é um "peque-
no mistério".**

21.

Ei, Onde Estão as Pessoas?

Existem muitas evidências de uma Terra jovem que são, ainda
que não necessariamente definitivas, pelo menos constrangedoras.
Tome como exemplo a datação da civilização. As observações da
população hoje e os padrões de crescimento atual sugerem uma
Terra jovem. A população humana no mundo hoje é algo na casa
dos 6 bilhões de indivíduos. A taxa de crescimento está em torno

de 2%. Por esta taxa, levaria cerca de 1.100 anos para se atingir a atual população, desde o tempo do dilúvio. E, é claro, temos de levar em conta as pessoas que morreram durante esses anos, o que faria levar um pouco mais de tempo para atingir a atual população. **Se o homem estivesse por aqui há um milhão de anos ou coisa assim, como os evolucionistas sugerem, a população deveria ser de cerca de 10^{8600}. Isso significa o 1 seguido de 8600 zeros – um número absurdo.** Uma taxa de crescimento populacional que resultasse nos presentes dados de população deveria ser algo em torno de 0,002%. Mas como mencionamos há pouco, hoje nós observamos uma taxa de crescimento populacional da ordem de 2%. Mesmo em anos recentes, com o desenvolvimento de armamentos em massa, genocídios brutais, algumas das piores guerras, pragas e fomes na história, e um nível de abortos exagerado, a taxa de crescimento populacional não tem mudado muito.

22.

Nenhum Osso Para Provar

Digamos que a taxa de crescimento da população fosse 0,002%, como a teoria evolucionista teria que sugerir. Isso significaria que **um número absolutamente inimaginável de pessoas teria que ter vivido e morrido durante o último milhão de anos. Não há qualquer evidência empírica disso,** ou seja, restos humanos ou ossos, para provar que um número tão vasto de pessoas já viveu nesta Terra no último milhão de anos.

23.

Onde Está o Material?

Não apenas faltam ossos para demonstrar a existência do vasto número de pessoas que a evolução requer (veja "Nenhum Osso Para Provar"), mas o "material" delas também. Onde estão suas ferramentas, implementos de cozinha, casas, armas etc.? Uma população desse tamanho certamente teria deixado uma quantidade incrível de artefatos quando morreu.

24.
As Sementes da Inteligência

É difícil imaginar pessoas tão inteligentes quanto nós, vivendo por dezenas ou mesmo centenas de milhares de anos, sem nem mesmo descobrir que as plantas que eles comiam cresciam de sementes. Entretanto, o registro arqueológico claramente mostra que o homem tem plantado seu próprio alimento há menos de 10.000 anos! Isto sugere que o homem não tem estado por aqui há tanto tempo quanto os evolucionistas acreditam (e reinvindicam).

25.
Fósseis Apoiam Uma Terra Jovem

O próprio fato da existência de fósseis parece dar apoio à idéia de uma Terra jovem. Isto por que, quando um animal selvagem morre, seu corpo é devorado por animais necrófagos e desaparece em dias ou semanas. Ele se torna um fóssil apenas naqueles casos em que o corpo é muito rapidamente coberto por sedimentos. Isto sugere que **qualquer camada de rocha que contenha fósseis deve ter sido constituída muito rapidamente**.

26.
Vênus de Milo Quente

Vênus está muito mais próximo do Sol do que a Terra e com isso a temperatura da superfície naquele planeta paira próxima aos 530 °C. Se os planetas tivessem existido por bilhões de anos, então a crosta de Vênus teria sido aquecida até ficar como piche mole. (Lembre-se que mesmo elementos pesados como chumbo e zinco derretem bem abaixo dos 530 graus). Além disso, ao observar Vênus atualmente, nós enxergamos muitas montanhas bem altas. Uma destas montanhas, chamada de Maat Mons é mais alta que o nosso monte Everest! Se Vênus tivesse estado aí por bilhões de anos, então a crosta do planeta seria simplesmente muito macia para sustentar tais montanhas, que teriam escorrido e formado um grande charco.

27.
Luz de Estrela, Brilho de Estrela

Existem estrelas dentro de nossa galáxia que estão se consumindo muito mais rápido do que o Sol. Elas são chamadas de estrelas "O", e estão usando seu combustível centenas de vezes mais rápido que o Sol. A implicação dessa descoberta é que essas estrelas devem ser muito jovens na escala evolutiva – de outra forma elas agora estariam extintas. Ou, se alguma vez elas foram grandes o suficiente para suportar essas taxas de desintegração, deveríamos, então, estar vendo os resultados característicos tais como altas velocidades de rotação e enormes campos magnéticos. Mas esses sinais denunciadores não existem.

28.
A Evolução Acha o Campo Magnético 'Sem Graça'

O campo magnético da Terra também apóia a idéia de uma Terra jovem. Um forte campo magnético é crucial para a vida, como sabemos. Ele forma uma cobertura protetora sobre a Terra, bloqueando a radiação cósmica nociva que continuamente bombardeia a Terra. Observações feitas no campo magnético da Terra ao longo dos últimos 150 anos têm mostrado que ele tem decrescido de intensidade. **Tem sido constatado que desde 1829 a força do campo magnético diminuiu cerca de 7%.** Foi calculado que a meia-vida do campo magnético é de cerca de 1.400 anos, significando que ele decai à metade de sua intensidade a cada catorze séculos. Se ele se tornar fraco demais, a vida não será possível. **Se a Terra fosse tão velha quanto os evolucionistas reivindicam, o campo magnético seria inexistente a esta altura.**

29.

Um Limite de Vida de 20.000 Anos

Vamos olhar para o campo magnético da Terra *no passado*. De acordo com os cálculos de meia-vida, sabemos que há cerca de 1.400 anos o campo magnético deve ter sido duas vezes mais forte que atualmente. Se voltássemos no tempo, digamos em 100.000 anos, aquele campo magnético teria sido incrivelmente forte, e **a vida simplesmente não teria sido possível.** Aliás, foi calculado pelo Dr. Thomas Barnes, ex-deão do Instituto de Pesquisa da Criação (e respectiva Escola de Pós-Graduação) e professor emérito de física na Universidade do Texas em El Paso, que **há mais de 20.000 anos a vida, tal como a conhecemos agora, teria sido impossível na Terra.**

30.

Um Argumento Hermético

Outro argumento para uma Terra jovem gira em torno da presença de hélio na sua atmosfera. O hélio é um gás extremamente leve. Somente o hidrogênio é mais leve do que ele. Comparando a percentagem de hélio na atmosfera em relação ao volume total da mesma, os cientistas são capazes de calcular o número total de átomos de hélio que devem estar presentes nela. Já que o hélio é produzido abaixo da superfície da Terra, e de lá escapa para a atmosfera – os cientistas devem ser capazes de usar a taxa desse escape para calcular a idade da atmosfera. O Dr. Larry Vardiman, presidente do departamento de física do Instituto de Pesquisa da Criação, tem trabalhado extensivamente nisso e produzido um argumento "hermético".[1] Ele **calculou que a quantidade total de hélio na atmosfera teria se acumulado na atmosfera em não mais de dois milhões de anos.** Agora, enquanto os criacionistas que defendem uma Terra jovem podem não gostar dessa data antiga, ela ainda é mais jovem que a idade do universo e da Terra amplamente aceita na comunidade científica. Também devemos notar que esses cálculos foram baseados na suposição de que a taxa de acúmulo de hélio na atmosfera nunca mudou. E ainda pressupõe que quando a Terra foi formada não havia *nenhum* átomo de hélio presente na atmosfera. Mas, **se a Terra foi projetada por um Criador para sustentar a vida, é provável que Ele tivesse deixado o hélio na atmosfera desde o começo. Isto obviamente diminui o tempo necessário para o acúmulo atual.**

1 Vardiman, Larry, *A Idade da Atmosfera da Terra,* Institute for Creation Research, 1990.

31.

Outro Mistério do Hélio

A liberação de hélio na atmosfera tem sido medida em cerca de dois milhões de átomos de hélio por centímetro quadrado por segundo. Ainda existe uma vasta quantidade de hélio sob a crosta terrestre. Por ser o hélio de peso tão leve, não há rocha que seja capaz de bloquear sua liberação para a atmosfera. A decomposição radioativa nas rochas reabastece um pouco do hélio abaixo da superfície, mas não o suficiente para justificar a quantidade que lá existe. Se o processo de escape do hélio para a atmosfera estivesse acontecendo durante bilhões de anos, **deveria haver muito mais hélio na atmosfera e muito menos abaixo da superfície da Terra, do que realmente há.** Por isso, não apenas a pequena quantidade de hélio na atmosfera apóia a idéia de uma Terra jovem, mas também a vasta quantidade de hélio ainda remanescente abaixo da crosta terrestre.

32.

Olhe a Evolução Com Reservas

Os evolucionistas acreditam que a vida começou num oceano salgado por volta de 3 ou 4 bilhões de anos atrás. Os que apóiam o ponto de vista de uma Terra jovem, entretanto, apontam o fato de que, se a Terra é tão velha quanto os evolucionistas dizem ser, então os oceanos deveriam ser muitos mais salgados do que eles atualmente são. Estudos têm sido conduzidos pelo Dr. Steve Austin e por Russell Humphreys[1] quanto à proporção em que o sódio é depositado e é liberado dos oceanos. Austin e Humphreys determinaram que **a Terra não poderia ter mais de 62 milhões de anos, muito menos do que os evolucionistas reivindicam**. Agora, enquanto os criacionistas defensores de uma Terra jovem podem não gostar dessa idade, deve ser citado que Austin e Humphreys utilizaram as mais extremas condições de entrada e as menos extremas condições de saída para serem mais do que justos com o ponto de vista evolucionista. A despeito disso, *ficou* determinado que a quantidade de sal indo para os oceanos é muito maior que a quantidade vinda dos oceanos. Então, mesmo que os oceanos começassem a existência sem nenhum sal, eles deveriam ser muito mais salgados do que são atualmente.

1 Austin, Steven A. and Humphreys, Russell D.; "O Sal que Falta ao Mar: Um Dilema para os Evolucionistas", *Proceedings of the Second International Conference on Creationism,* Vol. 2, 1991; pp. 17-33.

33.

O Encolhimento do Sol

Nos últimos 150 anos os astrônomos têm feito cuidadosas e regulares medições do diâmetro do Sol e, com isso, mostrado que nosso Sol está encolhendo numa taxa de cerca de 1,5 metros por hora. Ampliando as implicações dessas observações, podemos somente concluir que, **se o Sol tivesse existido há milhões de anos atrás, ele teria sido tão maior do que é hoje que seu calor teria tornado a vida na Terra impossível**. Isto vai diretamente contra a teoria evolucionista que sugere que há um milhão de anos atrás toda a vida que nós vemos hoje já estava aqui. O fato é que um milhão de anos atrás não é tanto tempo pelos padrões evolucionistas, já que acreditam que o processo tenha começado há centenas de milhões ou mesmo bilhões de anos atrás!

34.

Aproveite a Vista, Enquanto Você Pode!

Os anéis que envolvem Saturno estão sendo rapidamente bombardeados por meteoritos. Alguns cálculos estimam que tal pulverização destruiria completamente os anéis em cerca de 10.000 anos. Já que os anéis ainda estão lá, a implicação é a de que os anéis em volta de Saturno são ligeiramente mais jovens do que os evolucionistas acreditam.

35.

Houston, a Que Distância Vocês Disseram Que Ficava a Lua?

A velocidade de rotação da Terra está diminuindo. Isto é causado pela 'fricção' das marés e tem sido observado desde o século XVIII. Sabemos pela Física que isso significa que a Lua está lentamente se afastando de nós. Mas, se este processo tivesse se iniciado há 4,6 bilhões de anos atrás, mesmo que a Lua começasse a orbitar encostada na superfície da Terra, ainda assim ela estaria agora muito mais afastada de nós do que está.

36.

Por Que Vocês Não Esfriam?

Júpiter, Saturno e Netuno liberam, cada um, duas vezes mais calor do que recebem do Sol. Já que não se acredita que estes planetas gerem calor através de fusão nuclear, decomposição radioativa ou contração gravitacional, a única explicação concebível é a de que eles não têm existido por tempo suficiente para se esfriar completamente.

37.

Entrando Areia na Teoria Evolucionista

Cada vez que chove, ou que os ventos sopram, mais algo dos continentes é varrido pela erosão, e o solo é arrastado para o mar. Estudos têm mostrado que uma quantidade próxima de 25 bilhões de toneladas de sedimentos são removidos da terra seca e depositados no oceano a cada ano. Nesse ritmo, levaria menos de 20 milhões de anos para que a erosão varresse completamente os continentes de forma que não restasse terra seca acima do nível do mar. Se aceitarmos a evolução como a explicação da vida na Terra, então certamente teríamos que nos perguntar por que ainda existe terra seca, se o processo evolutivo vem acontecendo, em terra seca, há *centenas de milhões* de anos.

Ao mesmo tempo, **depois de centenas de milhões de anos poderíamos esperar encontrar vários quilômetros de sedimento no fundo dos oceanos por todo o mundo. Na realidade, nós vemos apenas dezenas de metros de sedimento,** novamente sugerindo um mundo muito mais jovem do que os evolucionistas querem nos fazer acreditar.

38.

A Sensação de Afundar

Quando o homem estava se preparando para descer pela primeira vez na Lua, havia uma preocupação sobre a poeira que eles iriam encontrar ali. Baseados na pressuposição de que o universo tinha bilhões de anos de idade, os peritos temiam que os astronautas pudessem simplesmente afundar em até um quilômetro e meio de poeira na superfície da Lua! Isso não aconteceu, é claro, e quando os astronautas encontraram apenas uma camada muito fina de poeira, os cientistas foram forçados a reconsiderar a idade da Lua.

Evidência de um Projeto?

39.

Você Acredita Que o Monte Rushmore Foi um Acidente?

Imagine-se andando através de uma floresta e achando uma árvore com a expressão "João ama Maria" talhada no tronco. Você suporia que aquelas palavras se formaram ali por acidente? É claro que não. E a respeito do monte Rushmore?* Você acha que qualquer um que o vê pela primeira vez pensa que aquelas faces simplesmente apareceram através da erosão e de outros processos naturais? Algo que mostra que temos bom senso é a capacidade de determinar aquilo que é produzido pelo homem e aquilo que é uma ocorrência natural. Em outras palavras, **nossa experiência nos diz prontamente o que a natureza é capaz de produzir e o que requer a intervenção de um projetista inteligente**. Ao mesmo tempo, entretanto, vemos os evolucionistas observando alguns dos mais espetaculares projetos imagináveis, e sugerindo que todos eles são apenas felizes coincidências.

*O monte Rushmore fica no estado de Dakota do Sul (EUA). É um memorial onde foram esculpidos na pedra os rostos gigantescos dos presidentes norte-americanos George Washington, Thomas Jefferson, Abraham Lincoln e Theodore Roosevelt.

40.

Projeto Cuidadoso ou Acidente Maravilhoso?

Talvez a melhor e mais notável evidência da existência de um projetista seja a própria **complexidade do projeto**. Tome, por exemplo, a relação de co-dependência entre a mariposa Pronuba e a planta Yucca, ambas naturais do deserto. A existência da planta Yucca depende da mariposa Pronuba, cujos ovos são chocados na areia do deserto, na base da planta. Curiosamente, isso só acontece em certas noites do ano, quando as flores da planta Yucca estão florescendo. A mariposa, por sua vez, também é dependente da planta Yucca para a *sua* própria vida. Ela pega o pólen da flor de uma das plantas e voa para outra planta Yucca para botar seus ovos. Quando chega na outra planta, a mariposa deposita o pólen da primeira planta em uma flor da segunda. Aquela planta irá então crescer e prosperar, fertilizando os ovos da mariposa em sua base na areia. Com sua tarefa completa, a mariposa Pronuba morre na mesma noite. Quando os ovos chocarem, as lagartas irão construir casulos na base da planta, e aguardar sua vez de repetir este incrível ciclo de sobrevivência. Igualmente impressionante é o fato de que existem várias espécies de plantas Yucca, e cada uma delas é polinizada por sua própria espécie de mariposa. **Como poderiam todas estas variedades de mariposas e plantas Yucca ter aleatoriamente chegado a uma existência tão coordenada, e então evoluído aleatoriamente em perfeita coordenação para dar vida uma à outra?**

41.

Evidência de Projeto

Um dos elementos mais importantes na discussão sobre um Criador é, obviamente, o começo da vida propriamente dita. Por isso, vamos agora voltar no tempo até o aparecimento da vida primitiva no universo. Não surpreendentemente, a criação da vida foi um processo complexo, requerendo incontáveis combinações de elementos do universo, todos acontecendo simultaneamente de uma maneira muito precisa. Por exemplo, átomos de vários graus de tamanho precisaram ser formados. Mas antes que isto pudesse acontecer, precisou-se de um equilíbrio preciso de várias outras constantes no mundo físico, tais como gravidade, forças nucleares, a taxa de expansão apropriada do universo, a relação correta de elétrons e prótons, apenas para citar umas poucas. Em muitas das miríades de variáveis nesta complexa equação, uma mudança tão pequena quanto um décimo de um por cento já poderia tornar a vida impossível. Tal precisão parece sugerir que **um grande cuidado foi necessário para fazer do universo um lugar capaz de ter vida**. Aliás, muitos cientistas hoje em dia admitem que o universo parece ter sido *especialmente equipado para a vida*.

42.

Palavras de Sabedoria da Comunidade Científica

"A origem da vida parece ser quase um milagre, tantas são as condições que teriam que ter sido satisfeitas para que ela pudesse aparecer".[1]

"Seria muito difícil explicar por que o universo teria começado exatamente desta maneira, a não ser como um ato de um Deus que tencionou criar seres como nós".[2]

1 Sir Francis Crick, Scientific American (fevereiro de 1991).
2 Stephen Hawking, 'Uma Breve História do Tempo', p. 127.

43.

Um Equilíbrio Delicado

Existem muitos fatores conhecidos que precisam se encaixar adequadamente para a vida existir na Terra. Qualquer ligeira variação, em qualquer destes fatores, iria deflagrar o desastre. A velocidade de rotação da Terra, por exemplo, é ideal. Se ela fosse desacelerada em até 10% do seu valor atual, a vida como nós a conhecemos não poderia existir. As plantas iriam se queimar durante o dia e congelar durante a noite. Por outro lado, se a rotação fosse muito acelerada, os ventos poderiam aumentar até níveis incríveis. Aliás, Júpiter gira em torno do seu eixo uma vez a cada 10 horas e os ventos lá chegam a exceder 1600 km/h! Então, mais uma vez, vemos uma grande precisão no projeto da Terra, e é isso que permite a ela sustentar a vida. E **quando você vê todas es-**

tas evidências de um projeto, deve logicamente esperar que haja um projetista.

44.

A Cola Que Nos Liga a Todos

Existe uma poderosa força dentro do universo, mantendo unidos todos os átomos e tornando possíveis os vários elementos (hidrogênio, hélio, oxigênio, ferro, etc.). Entretanto, se essa força fosse apenas 5% mais fraca, o único elemento que poderia existir na Terra seria o hidrogênio e isto tornaria a vida impossível. Ao mesmo tempo, se a mesma força fosse apenas 5% mais forte, tudo se aglomeraria em moléculas gigantes. A vida também seria impossível sob essas condições.

45.

As Estrelas da Criação

Algo que é absolutamente impressionante é a percepção de que todas aquelas estrelas que nós vemos no céu à noite (e os trilhões delas que nós não vemos) são *necessárias* para que a vida possa ser possível aqui na Terra! O fato é que, se existissem estrelas demais, nosso Sol poderia não ter sobrevivido. Se, por outro lado, houvesse poucas estrelas, os elementos pesados necessários à vida jamais teriam se formado.

46.

Velocidade de Expansão na Medida Certa

Com certeza o universo está se expandindo, mas isso somente prova que deve ter havido um começo. E, para nossa felicidade, esse começo foi perfeitamente organizado e planejado. Observe, se o universo se expandisse mais rapidamente do que ele o faz hoje, a matéria teria simplesmente se espalhado rápido demais e os planetas e as galáxias nunca teriam se formado. Por outro lado, caso o universo tivesse se expandido mais lentamente, então ele não teria sido capaz de superar a tremenda gravidade de toda aquela matéria e tudo nele teria simplesmente sofrido um colapso, transformando-se em um aglomerado gigante.

47.

Graças a Deus! O Sol Está Exatamente Onde Deveria Estar

A distância entre a Terra e o Sol é de cerca de 150 milhões de quilômetros. Considere que, se esta distância fosse alterada em tão somente 2%, a vida na Terra seria impossível. Ao mesmo tempo, nossa Lua está exatamente onde deveria estar, tanto para estabilizar a inclinação da Terra quanto para limpar e nutrir o mar através das marés. De fato, se a Lua estivesse muito próxima, então as marés submergiriam completamente os continentes, duas vezes por dia.

48.

Mudança de Ares... Perigo!

O ar que você está respirando neste exato momento contém aproximadamente 21% de oxigênio. Se esse percentual fosse aumentado um pouco, digamos até 25%, então nossa atmosfera iria repentinamente se tornar altamente inflamável. Se a taxa caísse para 15% ou menos, então você simplesmente seria incapaz de respirar e sufocaria imediatamente.

49.

Estou Preso a Este Planeta

A gravidade é o que nos mantém seguros no chão, e assim como tantos outros fenômenos naturais, ela foi regulada perfeitamente. Se a atração gravitacional da Terra fosse aumentada apenas por alguns pontos percentuais, então alguns dos mais perigosos gases em nossa atmosfera se acumulariam e tornariam a vida impossível (por exemplo, o metano e a amônia). A redução da atração gravitacional resultaria na perda de muita água.

50.

Irmãos Espaciais?

Vendo a esmagadora evidência de projeto, muitos têm sugerido que, de fato, parece impossível que condições tão precisas tenham ocorrido juntas, completamente por acaso. Mas, ao invés de verem isso como uma evidência da existência de Deus, alguns estão agora sugerindo que a vida na Terra foi plantada aqui por seres do espaço longínquo. Essa teoria é chamada de panespermia (ou bioespermia diretiva), mas ela falha na questão de onde a vida *começou primeiramente*. Em outras palavras, de onde vieram os tais alienígenas?

51.

Estamos Sozinhos no Universo?

Uma das maiores questões nas cabeças das pessoas hoje em dia é se a vida é ou não uma exclusividade da Terra. Pesquisas conduzidas por Iosef Shklovski e Carl Sagan em meados

dos anos 60, descobriram que é necessário um tipo muito especial de estrela, a uma distância correta de um planeta, para que a vida possa existir. Eles calcularam que apenas 0,001% das estrelas pode ter um planeta que seja capaz de sustentar uma forma avançada de vida. Pesquisas posteriores mostraram que as chances são ainda menores. De acordo com o astrofísico cristão Dr. Hugh Ross, "é possível, mesmo neste estágio das pesquisas, coletar de muitos sistemas planetários os parâmetros necessários à vida e estabelecer uma estimativa grosseira para a possibilidade de que, apenas por meios naturais, exista um planeta capaz de sustentar vida... com segurança considerável, podemos chegar à conclusão que **sem intervenção divina, bem menos da trilionésima parte da trilionésima parte de um por cento de todas as estrelas teria condições de possuir um planeta capaz de sustentar vida avançada**. Considerando que o universo observável contém menos de um trilhão de galáxias, cada uma com uma média de uns cem bilhões de estrelas, podemos ver **que não deve ser esperado que nem mesmo um único planeta possua, apenas por processos naturais, as condições necessárias para sustentar a vida**."[1]

1 Ross, Hugh, Ph.D.; *O Criador e o Cosmo;* NavPress; Colorado Springs, CO; 1993; p. 133.

52.
Expectativa Frustrada no Céu

Muitos evolucionistas esperavam que fosse descoberta vida em outros planetas, pois isto ajudaria a provar sua teoria de que a vida *pode* ocorrer ao acaso sob certas condições. Em 1976 houve grande esperança e expectativa de que a missão *Viking* a Marte pudesse revelar vida naquele que se pensava ser o único outro planeta em nosso sistema solar capaz de sustentar a vida. Quatro experiências diferentes e intrincadas, utilizando equipamentos extremamente sensíveis, foram conduzidas em solo marciano. A conclusão? Marte não é capaz de sustentar a vida.

53.

A Dupla Questão de um Projeto

A incansável busca por sinais de vida extraterrestre continua atualmente. Milhões e milhões de dólares foram gastos para configurar enormes antenas de satélites, apontadas para o céu, **procurando ouvir mensagens do espaço distante**. Ironicamente, quando você pergunta àquelas pessoas que estão realizando a escuta como elas vão saber que um som que venham a ouvir seja de fato um sinal inteligente, elas lhe dirão que esse som deverá ter um determinado padrão ou plano. Muitas destas mesmas pessoas, entretanto, de alguma forma conseguem **olhar para a criação, com todos os padrões inteligentes e evidências de projeto, e simplesmente nos dizer que isto aconteceu por mero acaso!**

54.

O Milagre da Vida

Nós realmente não podemos considerar o projeto da vida sem olhar muito atentamente para a incrível complexidade e planejamento dos organismos vivos. Tome como exemplo as células que formam nossos corpos. Existe mais de um trilhão dessas células no corpo humano, cada uma constituída de componentes que interagem uns com os outros de uma maneira muito precisa e extremamente complexa. Moléculas de proteína, por exemplo, realizam, individualmente ou em grupos, todas as tarefas necessárias para garantir a vida de uma célula. As proteínas contêm longas cadeias moleculares compostas de aminoácidos. Além disso, muitas proteínas são formadas de vários milhares de átomos, que formam diferentes estruturas tridimensionais para diferentes tarefas. É difícil compreender como cada um destes componentes em particular se desenvolveu aleatoriamente no princípio, e então, algo milagroso aconteceu para formar uma célula viva.

55.

O *Verdadeiro* Manual de Instruções da Vida

Olhando para as moléculas de proteínas individualmente, vemos uma variedade incrível, com cada uma das molécula tendo uma tarefa bem específica na vida. Como é que as moléculas sabem qual é a sua tarefa? Esta informação pode ser encontrada em outras moléculas, conhecidas como DNA e RNA. **Essas incríveis moléculas, na realidade, carregam as instruções para a criação da vida**. O DNA contém o esquema atualizado para a construção das moléculas da vida, e o RNA carrega a informação para as outras partes da célula. Você pode pensar no DNA como sendo o "CD-ROM" cheio de informações, e o RNA como sendo o "CD player". Sem o RNA, as células não teriam como compreender a informação contida no DNA – informação que irá dizer às moléculas de proteínas para formar ou reparar células vivas! Entretanto, ainda mais estonteante é o fato de que as instruções para a formação do RNA estão contidas no DNA. Seria como ter um CD que contivesse todas as instruções detalhando como construir um "CD player". Mas sem um "CD player" para lê-lo, como você poderia obter essas informações?

Novamente, podemos ver sinais claros de um projeto inteligente e a impossibilidade da vida ter ocorrido puramente por acaso.

56.

Como Tentativa e Erro Podem Funcionar Quando o Erro é Fatal?

O estudo do corpo humano é uma das mais claras evidências da existência de um projetista inteligente. Tomemos o rim como exemplo: eis um órgão tão complexo que mesmo flutuações menores em seu funcionamento podem ser fatais. E ainda assim os evolucionistas querem que acreditemos que este incrível órgão simplesmente evoluiu e se desenvolveu através de tentativa e erro.

Nós todos sabemos que tentativa e erro não é um método confiável para a solução de problemas, ainda mais quando você considera que os erros irão matar o organismo e dar um fim ao processo de tentativa e erro.

57.
A Última Palavra em Computadores

Pense sobre o mais complexo de todos os órgãos – o cérebro humano. Aí temos um pedaço de massa cinzenta, constituída por algo em torno de dez bilhões de células nervosas. Agora considere o fato de que cada uma dessas células inclui algo entre dez mil e cem mil fibras de conexão. Cada uma dessas fibras, por sua vez, faz contato com outras células nervosas no cérebro, **dando a cada um de nós cerca de mil trilhões de possíveis conexões**. Este número está além do alcance da nossa imaginação e se torna ainda mais surpreendente quando consideramos que estas conexões não são apenas ocorrências aleatórias. Elas estão arranjadas em uma rede intrincada - e extremamente precisa. É difícil conceber que tamanha complexidade e perfeição aconteceu por acidente.

58.
O Cérebro Humano

Quantas vezes você já ouviu as pessoas conversando sobre quão pequena é a porcentagem da capacidade cerebral que nós realmente usamos? Bem, da próxima vez que alguém mencionar isso, há uma importante questão que você deve levantar. Como é possível explicar isso usando a teoria da evolução? A seleção natural com certeza não pode explicar isso, já que essas mesmas capacidades nunca foram usadas (por definição) e, portanto, não poderiam ter proporcionado qualquer vantagem adicional.

59.
A Questão Está ao Alcance dos Olhos

Talvez a citação mais conclusiva em termos de criação versus evolução venha do pai da teoria da evolução, Charles Darwin. Quando considerava o projeto do olho, por exemplo, Darwin comentou: "Supor que o olho, com todos os seus inimitáveis artifícios para ajustar o foco a diferentes distâncias, para admitir diferentes quantidades de luz, e para a correção das aberrações cromática e esférica, possa ter se formado por seleção natural, parece, eu confesso livremente, um absurdo do mais alto grau"[1]. E ele estava certo. Existem mais de 10 milhões de células sensíveis à luz acondicionadas bem juntas na retina do olho humano. Igualmente espantoso é o fato de que estas células possuem uma taxa de metabolismo muito alta e são completamente destruídas e repostas cerca de uma vez por semana! Ainda mais surpreendente é o fato de que cada uma destas células é vastamente mais complexa até mesmo do que o mais sofisticado computador. Na verdade, acredita-se que a retina administra quase 10 bilhões (isso é 10.000.000.000) de cálculos a cada segundo, e isso antes que a imagem chegue ao cérebro! Aqui está o que foi escrito sobre o olho na revista de informática BYTE: "Para simular 10 milisegundos de processamento completo de uma simples célula nervosa da retina seria preciso cem vezes a solução de cerca de 500 equações diferenciais não lineares simultâneas, e iria levar pelo menos alguns minutos de tempo de processamento num supercomputador Cray. Tendo em mente que existem 10 milhões ou mais de tais células interagindo umas com as outras de forma complexa, levaria um mínimo de cem anos de tempo de processamento num Cray para simular o que se passa no seu olho muitas vezes a cada segundo". É difícil imaginar que tal sistema tenha acontecido por acaso ou por acidente. É mais fácil compreender a Palavra de Deus quando ela nos diz: "O ouvido que ouve, e o olho que vê, o Senhor os fez, tanto um como o outro" (Provérbios 20:12).

[1] Darwin, Charles, *On The Origin os Species* (A Origem das Espécies), 2ª Ed. (London, John Murray, 1860), p. 168.

A Teoria da Evolução de Darwin

60.

A Teoria de Darwin

Em 1831 Charles Darwin saiu navegando no navio Beagle, e nessa viagem ele observou várias espécies de plantas, insetos e vida natural que eram distintas, ainda que proximamente relacionadas. Entre as espécies mais famosas observadas por Darwin estavam os "tentilhões de Darwin". Ele reparou que havia catorze espécies desses pássaros nas Ilhas Galápagos, todas aparentando ter vindo de um mesmo ancestral comum. As variedades que existem hoje diferem principalmente em características menores como o tamanho e a forma do bico. O importante de se perceber, entretanto, é que todos os novos tentilhões ainda são tentilhões. Eles não se tornaram corujas, águias, ou abutres. Eles tampouco se tornaram espécies completamente novas, evoluindo para macacos, cangurus ou marmotas norte-americanas. Em outras palavras, apesar de todo o peso dado às observações que Darwin fez desses tentilhões, não há nada nessas observações que, de alguma forma, confira qualquer credibilidade à teoria de Darwin de que toda a vida evoluiu de um ancestral comum.

Hoje, a teoria de Darwin tem sido destacada como uma refutação ao relato da criação encontrado na Bíblia, mas na realidade ela não merece esse crédito. Primeiramente, a doutrina da imutabilidade das espécies foi uma doutrina criada pelo homem, e não tem absolutamente nada a ver com o relato bíblico. A Bíblia não diz que Deus criou apenas uma espécie de tentilhão num primeiro momento, nem diz que diferentes tipos de tentilhões que migraram de diferentes regiões geográficas não possam conviver juntos. O aspecto mais importante a entender é que, em geral, **não** são as *observações* de Darwin que são questionadas, mas sim as suas *conclusões.*

61.

Uma Introdução à Homologia

Outro fundamento básico da crença de Darwin na evolução (embora ele tivesse algumas dúvidas) era a impressionante semelhança na anatomia dos organismos vivos. Ele comparou, por exemplo, as semelhanças de constituição entre a mão de um homem, a nadadeira de um boto e a asa de um morcego ou de um pássaro. Isto é conhecido como homologia. Tais similaridades na homologia sugeriram a ele que cada uma destas criaturas deve ter herdado essas características de um ancestral comum. A homologia sempre foi, e continua sendo, um elemento chave da teoria da evolução. Se pudesse ser demonstrado que características homólogas tem sido passadas adiante através da genética e do desenvolvimento embriológico, o pleito da evolução certamente teria sido fortificado. Mas este não é o caso. **Na verdade, não há qualquer base genética ou embriológica para a homologia**. Sem sombra de dúvida, ainda que o fenômeno da homologia possa ser um pilar-chave da teoria da evolução, é , na realidade, um pilar bastante duvidoso.

62.

Funciona!

Darwin perguntava a seus críticos, e os evolucionistas continuam a questionar: "Por que um criador tão inteligente como Deus se limitou a usar projetos semelhantes em espécies diferentes de animais?" Há uma resposta muito boa para essa pergunta. Por que o homem se fixa a projetos similares para os motores de todos os carros, sejam eles produzidos pela Chrysler, pela Ford ou pela Toyota? Por uma razão muito simples – **por que é um projeto que funciona!**

"Um professor da Universidade Johns Hopkins chegou a uma intrigante conclusão acerca de uma dúvida perene: diz ele que, se um número infinito de macacos se sentassem datilografando em um número infinito de máquinas de escrever, o cheiro na sala seria insuportável".

- David Letterman

63.

Onde Está o Elo?

A classificação das espécies com base nas semelhanças, como aquelas da anatomia, é conhecida como taxonomia. A taxonomia, através dos anos, tem mostrado que as espécies são divididas em classes distintas, *sem que haja qualquer seqüência de transição* aparente. Recentemente, o advento da biologia molecular tem adicionado um capítulo inteiramente novo ao campo da taxonomia. Foi descoberto, por exemplo, que a hemoglobina, o composto químico do sangue, varia entre as espécies. As diferenças na proteína também podem ser utilizadas para medir as diferenças entre as espécies. Assim sendo, observamos que os cientistas não são apenas capazes de separar as espécies com base na anatomia, mas com base nas diferenças moleculares também. Além disso, **a biologia molecular, assim como a biologia da anatomia, não mostra qualquer evidência de espécies intermediárias.** Em outras palavras, os biólogos da biologia molecular não têm encontrado qualquer evidência para apoiar a reivindicação dos evolucionistas de que os peixes evoluíram para os anfíbios, que por sua vez evoluíram para os répteis, e estes para os mamíferos.

64.

Sobrevivência do Mais Apto?

Quando Darwin estava começando a desenvolver sua teoria, ele foi incapaz de responder à pergunta-chave sobre o quê, no princípio, causou a mudança (isto é, a evolução) das espécies. Depois de alguns esforços, ele propôs a teoria da "sobrevivência do mais apto", sugerindo que mais indivíduos de cada espécie estavam sendo produzidos do que o meio-ambiente poderia suportar. A teoria sugere que os membros das espécies que tivessem pequenas vantagens sobre os outros teriam maior possibilidade de sobreviver e transmitir sua composição genética aos seus descendentes. O longo pescoço da girafa, por exemplo, evoluiu gradualmente com o tempo, permitindo a esses animais alcançar cada vez mais alto nas árvores para pegar comida, especialmente durante períodos de fome. Através do processo de **"seleção natural"**, as girafas com os pescoços mais longos estavam mais bem equipadas para sobreviver e assim transmitiram seus "genes de pescoço longo" às futuras gerações. Mas como seriam preservadas variações acidentais dentro de uma espécie? Darwin não sabia naquele tempo, mas hoje os biólogos possuem um modelo de herança genética que demonstra como uma característica genética pode ser passada a várias gerações e influenciar uma população inteira. Enquanto a seleção natural parece apoiar o argumento da evolução, na verdade não o faz. Veja bem, **nem todos as características são transmitidas através da genética**. Os filhos de um pai que nasceu com três dedos não tem mais probabilidade de nascer com três dedos do que outros. Ao mesmo tempo, experimentos na criação de animais domésticos têm provado que algumas espécies aceitam, de fato, algum grau de mudança, mas existe um limite máximo para as mutações. Assim como os tentilhões de Darwin, o cruzamento de um Cocker Spaniel com um Poodle resulta num "Cocker Poodle". **Mas ainda é um cachorro, não uma girafa**.

65.

O Maior Presente

Incontáveis pessoas através da história têm colocado suas vidas em perigo ou mesmo as têm sacrificado por outras pessoas. Até mesmo alguns animais fariam isto. Essa realidade é completamente avessa à teoria de Darwin de sobrevivência do mais apto.

66.

Qual a Vantagem?

A evolução não pode explicar como as espécies intermediárias sobreviveram entre os estágios. Por exemplo, ouvimos dizer que as aves evoluíram dos répteis e que as escamas, comuns aos répteis, evoluíram, ao longo de milhões de anos, tornando-se penas. É claro que as asas e as penas de uma ave são projetadas com absoluta perfeição com o intuito de tornar o vôo possível. As penas têm que ser de uma resistência específica. Elas têm que ser capazes de suportar deformações. E tem que haver *exatamente* a quantidade certa de penas para que o vôo ocorra. Pensando nesse cenário, é muito difícil imaginar o processo acontecendo através de seleção natural, à medida em que as escamas dos répteis iam se tornando **menos úteis** para eles (à medida em que elas começam a se parecer mais com penas) enquanto o animal evolui para uma ave com asas deformadas que nem mesmo funcionam como tais. **Parece não haver nenhuma "*vantagem* ambiental" em qualquer estágio desse processo; aliás, essas coisas parecem ser *desvantagens* consideráveis!**

57.

Darwin, Você é de Tirar o Fôlego!

Quando os evolucionistas argumentam que as aves evoluíram dos répteis, ainda há um outro problema a ser considerado – respiração. Não existem outras espécies na Terra que têm um sistema pulmonar similar àquele encontrado nas aves. A questão então é **como as espécies intermediárias, que devem ter existido entre os répteis e as aves, "se viraram" para sobreviver com um sistema respiratório que não funcionava direito**, o que certamente iria resultar em morte imediata da criatura. Quando você senta e pensa a respeito disso, muitas das premissas-chave sobre as quais a teoria evolucionista se baseia parecem completamente ridículas.

58.

O Jato e o Ferro Velho

Darwin não apenas acreditava que a seleção natural era um método de sobrevivência, mas também acreditava que as mudanças evolutivas aconteciam como ocorrências casuais. Se você pegar um lápis e perguntar a alguém de onde este lápis se originou, essa pessoa provavelmente lhe dirá que alguém o fez. Seria absolutamente tolo para essa pessoa sugerir que o lápis veio a acontecer como resultado de uma série eventos altamente improváveis e aleatórios no universo. Mas é exatamente esse o argumento apresentado pelos evolucionistas. Sir Fred Hoyle é um dos maiores astrônomos e matemáticos do mundo. Embora não seja um criacionista, ele disse o seguinte acerca da evolução, numa audiência na Academia Britânica de Ciências: "Vamos ser cientificamente honestos. Nós todos sabemos que **a probabilidade da vida estar se elevando para uma complexidade e uma organização cada vez maiores por acaso, através da evolução, é a mesma probabilidade de um tornado atravessar um ferro velho deixando no outro lado um Boeing 747!**"[1] Em termos matemáticos, ele calculou as chances da vida ter acontecido por mero acaso como uma em $10^{40.000}$. Estamos falando do número 1 seguido de 40.000 zeros! Apenas à guisa de perspectiva, considere os seguintes exemplos.

Uma chance em um milhão é uma em 10^6.

A distância em volta da Terra é de 4×10^7 centímetros!

O universo visível tem cerca de $2,5 \times 10^{28}$ centímetros!

1 Como citado em Carlson, Ron and Decker, Ed; *Fatos Rápidos sobre Ensinamentos Falsos;* Harvest House Publishers; Eugene, OR; 1994; p. 55.

69.

A Evolução é Contra a Lei

Todas as observações, desde os primórdios do tempo até o presente, têm mostrado reiteradamente que *a vida só se origina da vida*. Ponto. Esta realidade é tão fundamental que é chamada de **Lei da Biogênese**, e **nunca foi violada,** quer sob observações ou experimentação. Claramente, entretanto, a teoria da evolução requer a violação desta lei ao sugerir que a vida, de alguma forma, simplesmente surgiu de matéria inerte, por meios puramente naturais.

70.

A Sopa Está Servida!

Apesar desta volumosa contestação contra a possibilidade de a vida ter surgido casualmente, os evolucionistas ainda argumentam a seu favor. Eles nos dizem que antes da vida não havia nada, a não ser o que eles chamam de uma "sopa prebiótica", basicamente uma imensa poça de produtos químicos. Esta sopa continha uma mistura de moléculas orgânicas e inorgânicas, que de alguma forma se encontravam nas condições necessárias para criar vida – o que supostamente elas fizeram. **Daquele acidente, daquele mais improvável dos eventos, tudo neste planeta evoluiu de alguma forma, incluindo palmeiras, cães Basset e Elvis Presley.** Isto não apenas soa absurdo, como também viola a lei da biogênese que nos diz que a vida somente pode se originar da vida. Há alguns anos atrás um biólogo molecular, chamado Harold Morowitz, determinou que, se uma célula comum tivesse suas ligações químicas quebradas, ela não poderia se reformar, nem mesmo sob as melhores condições naturais. Ele calculou a probabilidade de remontagem como sendo de uma chance em $10^{100.000.000.000.000}$. Inúmeras tentativas têm sido feitas pelos cientistas para se criar um "sopa prebiótica" e aplicar todas as condições ideais para que a vida se desenvolva. E como não poderia deixar de ser, nenhum destes experimentos teve sucesso em criar vida.

71.

Onde Está o Filé?

Você poderia pensar que uma evidência da existência da assim chamada sopa prebiótica, da qual a vida teria se originado, seria crítica para a teoria da evolução. Surpreendentemente, no entanto, essa teoria existe sem tal evidência. Na realidade, enquanto pareceria viável se esperar que remanescentes de tal sopa prebiótica tivessem sido descobertos em rochas daqueles primeiros dias – **nenhum remanescente desse tipo jamais foi encontrado**. Mesmo rochas que têm, de acordo com os geólogos, algo em torno dos 3.900 milhões de anos não mostram traços desta sopa prebiótica. Ainda assim, sua existência tem sido amplamente aceita como verdade!

72.

Muito Oxigênio Estraga o Caldo

Não apenas falta evidência empírica para a sopa prebiótica, mas existem ainda outros problemas com a parte teórica do conceito. Foi determinado, por exemplo, que quaisquer substâncias orgânicas formadas naqueles dias iniciais da Terra teriam sido rapidamente oxidadas e destruídas na presença de oxigênio. Portanto, **estes compostos orgânicos simplesmente não teriam sobrevivido o suficiente para serem capazes de se acumular numa sopa prebiótica** – muito menos haveria tempo suficiente para que a vida 'saltasse para a existência'.

73.

Um Buraco na Teoria do Ozônio

Alguns têm sugerido que o ambiente primitivo da Terra não tinha nenhum oxigênio, significando que os compostos orgânicos simples estavam protegidos da oxidação. Mesmo que fosse verdade que não havia oxigênio naquela época, isso significaria que não havia nenhuma camada de ozônio na atmosfera superior da Terra como existe hoje. **Sem a camada protetora de ozônio, a radiação letal do Sol teria destruído quaisquer compostos orgânicos que pudessem ter existido.**

74.

Um Salto na Lógica

Antes dos anos 50, os evolucionistas esperavam que a ciência pudesse um dia fornecer sinais dos passos intermediários entre as moléculas não vivas e a célula mais simples. Em outras palavras, os cientistas estavam esperando mostrar que a vida poderia, de fato, ter surgido espontaneamente, de simples matéria inerte. Entretanto, desde o surgimento da biologia molecular no começo dos anos 50, tem sido mostrado que não existe **nenhuma forma intermediária** levando à evolução de uma simples célula, a partir da síntese química. A vida vem da vida. Ponto final (Veja "A Evolução É Contra a Lei", nº 69). Também não existem evidências de uma célula primitiva evoluindo para as células complexas que temos hoje em dia.

75.

Não Existe Essa Coisa de Uma Forma Simples de Vida

Os evolucionistas nos dizem que nós viemos de algum tipo de célula simples como uma ameba. O que sabemos sobre a ameba? É um animal unicelular que pode arrastar-se em direção à comida. Se necessário ela pode produzir um pseudópode, um pé falso, para se impulsionar para a comida. Quando esse pé não é mais necessário ele desaparece. A ameba tem cromossomos, genes e DNA. Seu método de reprodução é um processo extremamente complicado e preciso. Então, mesmo a humilde ameba, que à primeira vista pode parecer um organismo vivo incrivelmente simples, sob observação mais cuidadosa, revela-se bem complexa. A evolução não pode nem mesmo começar a responder a questão de como essa célula aparentemente simples se desenvolveu sem algum planejamento ou projeto inteligente por trás.

76.

Esqueça o Médico, Arranje-me um Eletricista

Dentro da fábrica da vida, nós encontramos os mais complexos sistemas que jamais foram encontrados ou criados. Nisso estão incluídos os sistemas elétricos, acústicos, mecânicos, químicos e óticos. Esses sistemas são tão complexos que não podemos nem mesmo copiá-los. Tais fenômenos incluem os sistemas de sonar de golfinhos, doninhas e baleias; o radar de freqüência modulada e o sistema de discriminação do morcego; os sistemas de controle, sistema de balística interno, e a câmara de combustão do besouro bombardeiro; as capacidades aerodinâmicas do beija-flor; os complexos e redundantes sistemas de navegação de muitas aves e peixes; e especialmente as capacidades de auto-reparo de praticamente todas as formas de vida.

77.

Isso é Que é Eficiência!

Pequenas bactérias, tais como a Salmonela, a *Escherichia coli*, e alguns *Streptococci*, são capazes de se projetar a velocidades de até quinze comprimentos corporais por segundo. Elas fazem isso com microscópicos motores reversíveis que podem girar a 100.000 rotações por minuto. Esses pequenos motores giram um feixe de minúsculos tecidos que funcionam como uma cauda, e que agem como um propulsor. A força desse motor vem em forma de impulsos elétricos, assim como um motor produzido pelo homem. Hoje os japoneses estão gastando milhões, tentando aprender como esses motores funcionam. Por que o interesse? Oito milhões de motores bacterianos caberiam na cabeça de um alfinete! É engraçado que a teoria da evolução argumenta que bactérias como estas estavam entre as 'células simples' que evoluíram primeiro.

78.

Um Livro Que se Auto-Escreve!

Uma simples célula é bem mais complexa que nossos mais potentes computadores. Isso faz a nossa mente entrar em curto, só de pensar. Carl Sagan diz que existem cerca de 10^{12} bits de informação em cada uma. Ele ilustra dizendo que isso é **equivalente a cerca de 100 milhões de páginas da Enciclopédia Britânica**. Qual a probabilidade de isto ser resultado do acaso?

79.

A Loteria Que Você Não Tem Como Ganhar

O código numa célula média é equivalente a cerca de 100 milhões de páginas da Enciclopédia Britânica. Cada parte do quebra-cabeças tem que estar numa seqüência específica ou toda a célula morre. Considere, agora, a seguinte ilustração. Se você colocar num chapéu as dez letras da palavra R-E-P-Ú-B-L-I-C-A-S e misturá-las, a sua chance de retirá-las do chapéu na ordem exata para escrever a palavra é de uma em 3.628.800. Se quisermos tentar outro experimento, desta vez com as 26 letras do alfabeto, a chance de tirá-las na ordem alfabética é de apenas uma em 403 trilhões de trilhões. É uma chance em 403.000.000.000.000.000.000.000.000.000*. **Agora imagine a chance de aleatoriamente tirar 100 milhões de páginas de informação na ordem exata!**

* O alfabeto utilizado na língua inglesa contém as letras "K", "W" e "Y", não utilizadas normalmente na língua portuguesa. Se o mesmo exemplo fosse realizado com as 23 letras do nosso alfabeto, a chance de se sortear as letras na ordem alfabética seria uma em quase 26 bilhões de trilhões, ou uma chance em 25.852.016.740.000.000.000.000, aproximadamente.

80.

O Mistério da Célula Simples

Uma célula viva típica contém milhares de substâncias químicas diferentes que iriam reagir umas com as outras, se entrassem em contato. Mas as células estão cheias de intrincados sistemas de barreiras e anteparos químicos para evitar que isso aconteça. Se as células evoluíram, isso significa que essas paredes protetoras também teriam que ter evoluído. Mas como as células, com todas estas substâncias químicas dentro delas, evitariam as mortais reações químicas até que as paredes protetoras fossem construídas?

81.

Tente Entender a Lógica da Coisa...

É muito estranho que homens brilhantes possam passar suas vidas inteiras em um laboratório tentando criar vida, apenas para provar que, para começo de conversa, NENHUMA INTELIGÊNCIA era necessária para formar a vida. Por centenas de anos homens brilhantes têm **tentado – e falhado – em fazer mesmo a forma mais simples de vida**, mas ainda assim querem que você acredite que a vida começou através de nada mais do que tempo e acaso.

82.

O Primeiro Passo?

Os evolucionistas têm alguma dificuldade em responder questões sobre a reprodução da ameba. A ameba, quando se reproduz, ainda se reproduz segundo a sua espécie. Ela não produz outra forma de vida. Nem produz macho e fêmea. Então, como, quando e por que a ameba evoluiu para gêneros diferentes ou mesmo para formas diferentes e mais avançadas de vida?

83.

Evolução e Mutação

Uma coisa que os evolucionistas têm de admitir é que as mutações são a *única fonte de nova informação genética* sobre a qual a seleção natural pode trabalhar. O dicionário de Webster define mutação como "uma mudança repentina em relação ao modelo dos pais em uma ou mais características hereditárias, causada por uma mudança em um gene ou cromossomo". O Dr. H. J. Muller, que ganhou o prêmio Nobel por seu trabalho sobre mutações, disse que "está inteiramente de acordo com a natureza acidental das mutações, que extensivos testes têm concordado em mostrar a grande maioria delas como nocivas para o organismo em sua tarefa de sobrevivência e reprodução. **As boas mutações são tão raras que nós as consideramos todas ruins**" (Boletim dos Cientistas Atômicos, 11:331). É importante relembrar que, para que uma mutação seja transmitida às futuras gerações, ela deve ocorrer nas células do esperma do "pai" ou do óvulo da "mãe". A probabilidade de haver até mesmo cinco mutações na mesma célula é estimada como sendo 1 chance em 100.000.000.000.000.000.000.000.000. Se houvesse uma população de 100 milhões de organismos, com um ciclo reprodutivo de 1 dia, tal evento iria acontecer a cada 274 bilhões de anos! Novamente, mais fé é requerida para se acreditar nessas raridades do que se requer para crer em um criador.

84.

Lembre-se, é a *Teoria* da Evolução!

Os críticos do criacionismo alegam que o relato da criação de Gênesis nunca pôde ser provado pela ciência. É verdade. Mas o mesmo permanece verdade para a teoria da evolução de Darwin. Muitos parecem ter esquecido que a evolução é somente uma teoria, não um fato científico. Ela é tratada como um fato em livros-texto, jornais de ciência, salas de aula e em documentários de TV, e isto tem lhe dado credibilidade. Mas uma coisa está muito clara: a teoria da evolução está cheia de erros teóricos, lógicos e científicos. A aceitação desta teoria requer tanta fé, senão mais, quanto para aceitar o relato da criação.

O Registro Fóssil e os Elos Perdidos

85.

Acho Que Sei Porque Eles São Chamados de Elos *Perdidos*

O registro fóssil é mostrado com freqüência em livros-texto como um tronco de árvore com ramos que se originam nele. Embora a árvore fossilizada mostre ramos horizontais que demonstram a suposta mutação de uma espécie em outra, não há absolutamente nenhuma evidência empírica para apoiar a existência deste tipo de ramos horizontais. Em outras palavras, não há evidências em registros fósseis que apóiem a existência de alguma espécie intermediária. Estas são conhecidas como elos *perdidos*, e embora estejam perdidos, eles constituem a pedra fundamental de toda a teoria da evolução.

86.

Desculpe-me, Darwin, Mas Está na Hora de Arranjar Uma Nova Desculpa

Os elos perdidos no registro fóssil foram, sem sombra de dúvida, um grande problema para Charles Darwin e sua teoria da evolução. Mas a única explicação que ele pôde inventar foi a de que existem "imperfeições extremas" no registro fóssil. Nos dias de Darwin apenas uma pequena porção das camadas que continham fósseis haviam sido investigadas e assim ele viveu na esperança de que escavações futuras iriam certamente desenterrar esses elos perdidos. Entretanto, desde 1860, virtualmente cada espécie de fóssil que tem sido desenterrada tem mostrado que apenas parentes próximos de espécies existentes já viveram. Em outros casos, espécies únicas foram encontradas, diferentes de quaisquer espécies que existem hoje em dia. Mas **nunca foi encontrado um fóssil que possa ser classificado como ancestral ou descendente de *outras* espécies**. Nunca *qualquer um* dos elos perdidos, pertinentes à teoria da evolução, foi descoberto.

87.

Eu Devo Confessar

"...Eu concordo plenamente com seus comentários quanto à falta de ilustrações diretas de transições evolutivas em meu livro. Se eu soubesse de alguma delas, fóssil ou viva, certamente as teria incluído. Você sugere que um artista deveria ser usado para visualizar tais transformações, mas de onde ele iria obter as informações? Eu não poderia, com toda honestidade, prover isso, e se eu fosse deixar isso para a criatividade artística, isso não iria enganar o leitor?... Você diz que eu deveria pelo menos "mostrar uma foto do fóssil do qual cada tipo de organismo se originou". Quero deixar isso bem claro: não existe um fóssil com o qual alguém possa produzir um argumento irrefutável... É bem fácil criar histórias de como uma forma deu origem à outra, e achar razões do por quê os estágios devem ser favorecidos por seleção natural. Mas tais histórias não fazem parte da ciência, já que não existem meios de colocá-las à prova..."[1]

1 Dr. Colin Patterson, principal paleontologista do Museu Britânico de História Natural, respondendo à uma carta de um leitor de seu livro, *Evolução*.

88.

Opinião Pública

Uma recente pesquisa do Instituto Gallup descobriu que quase a metade dos norte-americanos acredita que Deus criou integralmente os seres humanos há cerca de 10.000 anos. Outros 40 porcento acreditam que o intervalo de tempo foi de milhões de anos, mas que Deus dirigiu o processo. O que é mais surpreendente é que apenas 9% acreditam realmente em evolução por processos estritamente naturais. É estranho, portanto, que a evolução seja a doutrina aceita nas escolas e universidades públicas.

89.

Sem Alternativas

Uma coisa que o registro fóssil demonstra claramente é que as espécies apareceram repentinamente, sem qualquer parentesco entre si. Em outras palavras, cada espécie aparece no registro como se tivesse sido criada naquela época e naquele local, sem nenhum elo (ou ancestral) com quaisquer fósseis mais antigos. E muitos cientistas, percebendo isso, estão agora dizendo que a teoria de Darwin, de que as espécies evoluíram lentamente no tempo, deve ser incorreta. Ainda assim, esses mesmos cientistas não têm nenhuma idéia de como essas espécies foram capazes de evoluir repentinamente. E nem compreendem por quê. Em um artigo tratando dessa mesma questão, a revista *Time* disse: "Aqui os cientistas patinam sobre o gelo fino dos dados, sugerindo cenários que se baseiam mais em intuição do que em evidência sólida".[1]

1 *Time*, 4 de dezembro de 1995; "Quando A Vida Explodiu", por Madeleine Nash; p. 73.

90.

O Homem, a Criação Final

Depois que o homem moderno apareceu, nenhuma outra nova espécie surgiu no registro fóssil. O homem parece ter sido a criação final. Enquanto os cristãos podem se frustrar com a datação geológica do registro fóssil, não deve ser omitido que o registro fóssil se alinha perfeitamente com a *ordem* da criação de Gênesis.

Gênesis nos diz que **o homem foi criado por último**. No final do sexto dia, depois do surgimento do homem, Deus descansou de Sua criação.

91.

Equilíbrio Pontuado

Alguns evolucionistas tentam explicar o repentino aparecimento de novas espécies e a falta dos elos perdidos com uma teoria conhecida como *equilíbrio pontuado*. Eles sugerem que, quando uma espécie sofre um estresse ambiental acentuado e sua população começa a decrescer rapidamente, esta espécie **repentinamente evolui para outra**. A população da nova espécie, então, cresce rapidamente. No entanto, existem alguns sérios problemas com essa teoria. Um deles, por exemplo, é que hoje, quando vemos uma espécie cair rapidamente em termos numéricos, ela beira a extinção. Se a teoria do equilíbrio pontuado estivesse correta, essas espécies deveriam sofrer alguma mutação e se apegar às novas características favoráveis que as ajudariam a sobreviver. Por que elas não continuam a evoluir quando beiram a extinção?

92.

É um Milagre!

Parece que os evolucionistas do equilíbrio pontuado querem que nós acreditemos em milagres, já que eles acreditam que uma repentina mutação de grande escala, por exemplo de mamíferos terrestres a baleias, deve ter ocorrido num rápido espasmo. **Aliás, não são os milagres um dos maiores problemas que os evolucionistas têm quanto ao criacionismo?**

93.

Vencendo as Dificuldades

Atualmente existem apenas umas poucas espécies que parecem se beneficiar com as mutações que podem ser observadas em tempo real. Vírus e bactérias são exemplos. Mas essas criaturas têm populações na casa dos quatrilhões (caso você esteja se perguntando, um quatrilhão é 1.000.000.000.000.000). De acordo com cálculos teóricos concluídos na década de 60, quanto maior o tamanho da população, maior a possibilidade de que ela sobreviva ao avanço mutacional. A razão disso é que **a esmagadora maioria das mutações em uma espécie são mais nocivas do que favoráveis.** Uma população tem que ser grande o bastante para resistir às tentativas de mutações destrutivas até que mutações bem sucedidas sejam obtidas, e claramente nós não vemos estes tipos de populações na grande maioria das espécies animais.

94.

O Que há de Novo?

Darwin via a natureza como um processo evolutivo contínuo seguindo os princípios da seleção natural. **Se a teoria da evolução está correta, então nós não deveríamos ver evidências de novas espécies evoluindo hoje em dia?** Deveríamos ver novas espécies aparecendo constantemente a uma taxa maior do que a de extinção. Mas não é isso que vemos.

95.

Encontrado Um Elo Perdido?

Embora existam elos perdidos no registro fóssil, algumas espécies que supostamente apóiam a teoria da evolução têm sido encontradas. Um exemplo é a descoberta fóssil de uma criatura conhecida como *Archaeop-teryx*, uma ave primitiva que tinha algumas características de réptil em seu esqueleto. Mas sua asa foi projetada, até onde podemos identificar a partir de seu esqueleto, como as de outras aves, para o vôo. Embora ela tivesse algumas características de réptil, isto não é evidência suficiente para que os evolucionistas argumentem que o *Archaeopteryx* seja de fato um passo intermediário entre os répteis e os pássaros. Uma das características que levaram os paleontologistas a considerá-lo um elo entre répteis e aves foi o fato que o *Archaeopteryx* tinha dentes. Mas existem outros exemplos de aves no registro fóssil que tinham dentes e nós sabemos que também existem répteis que não têm dentes. Outra característica presente no esqueleto eram garras nas asas. Mas as avestruzes também têm garras em suas asas e são classificadas como aves. Apenas as características esqueléticas, portanto, não são suficientes para se determinar quando uma espécie é parte de uma seqüência que no final irá levar a um tipo de espécie nova.

E não restam dúvidas de que, se a evolução fosse de fato verdadeira, então os evolucionistas não teriam que se valer de um exemplo tão pobre para demonstrar sua teoria.

96.
Quem Veio Primeiro, o Archaeopteryx ou o Ovo?

Curiosamente, um fóssil de uma ave foi desenterrado no Colorado, fóssil esse que os cientistas reivindicam ser mais velho, ou pelo menos tão velho quanto o Archaeopteryx (veja "Encontrado Um Elo Perdido?", n° 95). Através disso, então, sabemos que as aves *já existiam* na época em que o suposto *ancestral* das aves apareceu.

97.
Os Evolucionistas Não Têm Estômago

Uma das mais severas limitações dos registros fósseis é que eles não trazem informações reais sobre a 'anatomia mole' (isto é, os órgãos internos) de uma espécie. Portanto, quaisquer dados sobre a anatomia mole teria que ser baseada em especulação. E julgar que uma espécie seja uma *espécie intermediária* apenas baseando-se em características esqueléticas tem se mostrado falível. Durante quase um século, por exemplo, acreditou-se que os ripidistianos (antigos peixes com lóbulos nas barbatanas) fossem ancestrais satisfatórios dos anfíbios. Eles foram classificados como um intermediário entre os peixes e os vertebrados terrestres, por causa de certas características esqueléticas que eram similares às dos representantes iniciais dos anfíbios.

Ao mesmo tempo, várias suposições foram estabelecidas sobre a anatomia dos ripidistianos. Então, em 1893, um pescador pegou um parente vivo do ripidistiano, no Oceano Índico. Esse parente, o celacanto, era considerado extinto. Estudos feitos na anatomia do celacanto não mostraram nenhuma evidência que seus órgãos internos fossem pré-adaptados ao ambiente terrestre. Dessa forma, mesmo que os registros fósseis pudessem mostrar um pequeno punhado de possíveis intermediários (e muito mais seria necessário para provar a teoria da evolução), a experiência tem mostrado que a classificação baseada em características esqueléticas, sem informações sobre a anatomia mole, tem se provado falha e não confiável.

98.
Sem Animais Transitórios... Mas eu Tenho um Tio Que Não Sei Não...

O registro fóssil não é o único lugar onde os cientistas procuram por possíveis "espécies intermediárias". Existem espécies animais atualmente vivas que alguns acreditam serem intermediárias, ou *elos perdidos*. Em outras palavras, elas estão em algum lugar entre uma espécie e outra. O peixe pulmonado, por exemplo, tem guelras, intestinos e barbatanas como qualquer outro peixe. Mas também tem pulmões, um coração, e um estágio como larva que é claramente anfíbio. Entretanto, isto não é prova que o peixe pulmonado seja um intermediário entre um peixe e um anfíbio. As guelras, por exemplo, não são algo localizado em algum lugar na transição entre duas espécies. Elas pertencem inteiramente à espécie dos peixes. E os pulmões são totalmente anfíbios, nada menos que isso. Outro exemplo que é dado de uma espécie intermediária existente é o ornitorrinco. Ele põe ovos como um réptil, mas tem muitas características de mamífero, também. Mas essas características são distintivas dos mamíferos, ou dos répteis. Elas não representam nada transitório entre as duas espécies.

Colunas Geológicas e Datação Por Fósseis

99.

Colunas Geológicas e Datação Por Fósseis

Nós sabemos que o registro fóssil tem desempenhado um papel chave no desenvolvimento da teoria da evolução. Mas como, exatamente, alguém chega a datar um fóssil? Georges Cuvier, o pai da paleontologia moderna, estava em Paris quando a cidade estava sendo reconstruída após a Revolução Francesa. Ele reparou que a rocha sob as ruas estava dividida em camadas, e que cada camada aparentava conter diferentes fósseis. Mais tarde, durante a Revolução Industrial, Charles Lyell e uma dupla de amigos continuaram de onde Cuvier havia parado, e desenvolveram uma teoria de que a vida começou numa forma simples e então se diversificou em criaturas mais complexas (Charles Darwin, deve ser mencionado, ainda era um menino nessa época). Eles teorizaram que os fósseis de criaturas simples deveriam, portanto, ser encontrados na camada mais profunda, e que os fósseis de criaturas mais complexas deveriam ser encontradas nas camadas superiores. Eles tentaram provar sua teoria, analisando as camadas e nomeando-as com base nos fósseis encontrados em cada uma delas. Por fim, Lyell sugeriu doze períodos da Terra e o modelo que ele desenvolveu veio a ser conhecido como *colunas geológicas*. Hoje, é sobre estas colunas que a datação é baseada. Entretanto, as colunas geológicas como um todo, criadas na teoria por Lyell, não puderam ser encontradas em qualquer lugar e têm havido casos de várias camadas aparecendo em ordens diferentes, dependendo de onde você estiver escavando. Desde que foram propostas, as colunas geológicas usadas para datar o registro fóssil funcionaram bem na teoria, mas não tão bem à fria e dura luz da realidade.

100.
Qual a Idade Desta Rocha?

Quando se chega aos métodos usados pelos paleontologistas para se determinar a idade das rochas, encontramos um beco sem saída. Já que algumas rochas não podem ser datadas pelo carbono-14 ou por métodos radioisotópicos, os cientistas datam-nas com base nos fósseis encontrados nas mesmas. Assim sendo, **o paleontologista, basicamente, terá que olhar o fóssil em uma rocha e compará-lo a um fóssil similar encontrado em um livro-texto que contenha todo o registro fóssil; este é baseado na coluna geológica, que para começo de conversa é defeituosa, como acabamos de apontar.** Então, se o fóssil é de um marisco que o livro-texto de registros fósseis diz existir há 320 milhões de anos, os cientistas irão datar a rocha na qual o fóssil de marisco é encontrado como tendo cerca de 320 milhões de anos, sem nenhuma maneira independente de confirmar a idade.

101.
A Lógica Circular é Circularmente Lógica

Os cientistas são freqüentemente chamados para calcular a idade de uma rocha que não contém nenhum registro fóssil. Eles fazem isso pela determinação da idade da rocha que está acima ou abaixo da rocha em questão e que tenha fósseis. Em outras palavras, a idade de um fóssil é determinada pelo substrato rochoso, ou por seu lugar na coluna geológica. E a idade da rocha é determinada pelos fósseis encontrados nela. É como dizer que um garoto deve ter 10 anos de idade porque ele está na quinta série do primeiro grau, e nós sabemos que ele está na quinta série do primeiro grau porque ele tem 10 anos de idade. Isto é racionalização circular baseada em teorias e pressuposições falhas.

Noé e o Dilúvio

102.

Evidências Para Uma Terra Subaquática

Existe evidência para que o grande dilúvio, como descrito no livro de Gênesis, realmente tenha acontecido? Muitas das rochas que estão debaixo de nossos pés são conhecidas como rochas sedimentares. Isto significa que elas foram originalmente depositadas sob a água, e quando a água finalmente desapareceu, o sedimento secou, endureceu, e se tornou rocha. Cerca de 85% da superfície rochosa em todo o mundo é feita de rocha sedimentar, indicando que em algum período no passado, o mundo esteve coberto por água.

103.

Vá Pescar!

Você sabia que fósseis marinhos têm sido descobertos até mesmo nos picos das montanhas mais altas? Isso é um fato. Mas muitas pessoas dizem que "essas tais montanhas não eram necessariamente montanhas quando foram cobertas por água. Placas tectônicas têm sido levantadas e abaixadas muitas vezes no decorrer da história". É verdade. Mas a geologia *fornece* evidência, como veremos, de um dilúvio total, em todo o mundo. E a evidência parece indicar que, embora estas placas tectônicas tenham colidido para formar montanhas, elas já estavam acima do que é hoje o nível do mar quando esses fósseis marinhos se desenvolveram. Isto significa que deve ter havido um dilúvio geral, significativo o suficiente para ter coberto essas placas tectônicas.

104.
Um Grande Dilúvio

Alguns cientistas argumentam que não foi um dilúvio que submergiu a Terra, mas uma série de dilúvios localizados. Por exemplo, Georges Cuvier, o pai da paleontologia, foi também responsável pela teoria das múltiplas catástrofes. Ele acreditava que as margens do Rio Sena transbordaram várias vezes, criando vinte e oito camadas de rochas sedimentares com fósseis. Mas foi descoberto mais tarde que estas mesmas camadas de rochas sedimentares podiam ser encontradas também por toda parte na Inglaterra, Alemanha, e até mesmo na Rússia. Sem sombra de dúvida, um único rio não poderia ter sido responsável por tudo isso.

Outra camada de rocha, conhecida como "estrato cretáceo", contendo fósseis marinhos, foi encontrada se estendendo do norte da Irlanda, passando pela Inglaterra, daí para a França, sul da Alemanha, norte da Índia, Malásia e terminando na Austrália. Aliás, essa mesma camada se estende por três quartos do mundo! Novamente, alguma coisa maior do que um dilúvio localizado no Sena, ou em qualquer outro rio, foi responsável por isso.

105.
É Claro Que os Mariscos Estão no Fundo!

Existe um considerável conjunto de evidências sugerindo que as várias camadas de rocha, que supostamente contêm fósseis dividindo a Terra em doze eras, podem ter sido todas depositadas de uma vez só! Em 1893 o geólogo Johannas Vulther observou que a ordem dos fósseis marinhos encontrada em camadas de rochas freqüentemente coincidia com a ordem de seu ambiente marinho natural. Assim sendo, os mariscos que viviam no fundo do oceano foram freqüentemente encontrados no fundo das camadas. **Isto é exatamente o que se esperaria no caso de um dilúvio**. Os sedimentos, carregados por rios e correntes, teriam sido despejados no fundo do oceano, soterrando aquelas criaturas que anteriormente viviam ali.

106.

Como as Plantas Sobreviveram ao Dilúvio de Noé?

Se a Terra toda foi coberta de água durante o dilúvio de Noé, como a Bíblia nos conta, como é que as plantas conseguiram sobreviver? Um cientista chamado George Howe pôs-se a resolver esse problema realizando uma série de experiências através das quais testou a capacidade das sementes das plantas sobreviverem debaixo d'água. Sementes de várias frutas e flores foram submersas em água, tanto doce quanto salgada, por até 140 dias. Seus achados demonstraram que a maioria das sementes tratadas de tal maneira ainda conseguiram germinar e crescer depois que a água foi removida. O registro fóssil mostra muitos exemplos de plantas que viveram no passado, mas que não podem ser encontradas hoje em dia. Isto é consistente com a descoberta de Howe de que algumas das plantas foram, de fato, incapazes de sobreviver à dureza de um dilúvio, enquanto muitas outras o fizeram muito bem.

107.

Jornada Sedimental

Gilbert Hall, um sedimentólogo, mais tarde pegou os estudos de Vulther e realizou diversas experiências utilizando vários sedimentos coloridos sendo levados por um fluxo de água. Eis o que ele encontrou... Primeiro, os sedimentos mais pesados escoam para o fundo, enquanto os sedimentos mais leves eram levados mais adiante pela corrente. Depois ele notou que os sedimentos mais pesados no fundo realmente começam a se mover no sentido da corrente, cobrindo alguns dos sedimentos mais leves. Finalmente, ele descobriu que em certos lugares os sedimentos mais leves, na realidade, terminavam no fundo. Nós deve-

mos salientar aqui que isto não é teoria. É evidência empírica prove-
niente de repetida experimentação. Hall provou que os sedimentos se
depositam em uma certa ordem, apanhando criaturas vivendo em seus
próprios habitats, as quais, mais tarde, se tornam fósseis. Enquanto as
colunas geológicas de Lyell eram baseadas simplesmente em tendências
pré-concebidas, **os experimentos de Hall provaram que as camadas
sedimentares na coluna geológica poderiam muito bem ter sido depositadas simultaneamente em um curto período de tempo**, ao invés
de seqüencialmente por uma série de dilúvios, ao longo de doze eras
terrestres, durante milhões de anos.

108.
Fatos Consistentes Com o Dilúvio de Extensão Mundial

Os achados de Gilbert Hall são consistentes com aquilo que se esperaria se o dilúvio descrito em Gênesis realmente aconteceu. Depois dos
primeiros dias, nem toda a Terra estaria ainda coberta por água. Mas
haveria quantidade suficiente de águas turbulentas correndo de rios e sobre as terras da superfície para depositarem sedimentos nos oceanos rapidamente. A primeira coisa soterrada teria sido a vida marinha. Quanto
mais a Terra era coberta, répteis, anfíbios e mamíferos iam sendo destruídos e alguns deles teriam sido soterrados por sedimentos. Isto é exatamente o que nós vemos nas colunas geológicas. Os evolucionistas interpretam a coluna como a ordem evolutiva da vida, quando de fato ela
poderia ser o desfecho natural de um catastrófico dilúvio mundial. Moral da história: estas criaturas não foram necessariamente soterradas de
acordo com períodos de tempo, como querem os evolucionistas.

109.
O Grand Canyon é um Corte Profundo na Teoria da Evolução

Além das experiências de Gilbert Hall, existem ainda mais
evidências encontradas na natureza que sugerem que os méto-

dos convencionais de datação nas rochas podem estar errados. Isto, por sua vez, poderia sugerir que os que propõem uma *teoria da Terra jovem* estão, de fato, corretos. Vamos dar uma olhada no Grand Canyon, por exemplo. Aquela maravilha geológica é feita de camadas claramente estratificadas, com as linhas entre elas aparentando serem muito precisas em muitos casos. Acredita-se que o xisto de Hermit, por exemplo, tenha sido depositado cerca de 10 milhões de anos antes da camada do arenito de Coconino, que se encontra por cima do primeiro. Ainda assim **o xisto de Hermit não mostra nenhum sinal de erosão**. Ao final de 10 milhões de anos com certeza deveria ter havido alguma erosão, que apareceria claramente antes que a próxima camada Coconino ali chegasse. Nem todas as camadas do Grand Canyon exibem essa superposição "exata", mas certamente existe um número suficiente delas para argumentar contra uma longa passagem de tempo entre as camadas, como os evolucionistas afirmam.

110.

Vermes e Minhocas

Logo após a passagem do furacão Carla, em 1961, uma grande camada de sedimento foi depositada na costa do Texas e até mesmo no Golfo do México. Duas décadas depois, foi observada muita evidência de atividade biológica dentro desses sedimentos. Plantas haviam crescido com as raízes em camadas sedimentares e várias criaturas, incluindo minhocas e mariscos, haviam escavado seus caminhos até essas camadas. Em uns poucos anos, essa *perturbação biológica* mudou a estrutura original do sedimento. Ainda assim, quando você observa as camadas sedimentares de rocha ao redor do mundo, não há evidência de tal perturbação biológica. Isso parece surpreendente, especialmente quando consideramos o fato de que essas camadas sedimentares estiveram ali, supostamente, por milhões de anos antes da próxima camada sedimentar tê-las coberto.

111.

Os Fatos Apontam Para a Criação, Mas os Cientistas Ainda Lutam Por Alternativas

Os pesquisadores têm concordado que a Terra *sofreu* uma extinção em massa que quase fez com que a vida fosse completamente aniquilada. Isso é conhecido como "A Grande Morte". Existe menos concordância, entretanto, quanto ao que possa ter causado isso. Sugestões incluem erupções vulcânicas, cometas, efeito estufa, e resfriamento de era glacial. **Qualquer que seja a causa, os cientistas nos dizem que ela varreu cerca de 95% da vida marinha e cerca de 70% dos vertebrados que habitavam a terra**. Recifes de coral e florestas também foram destruídos.

112.

A Arca Era Grande o Suficiente?

Já que estamos falando do dilúvio, vamos dar uma olhada na arca, cujo projeto a Bíblia diz que Deus deu a Noé. A arca era maciça. A Bíblia diz que ela tinha trezentos côvados (135 metros) de comprimento, cinqüenta côvados (22,5 metros) de largura e trinta côvados (13,5 metros) de altura. Engenheiros navais construíram um modelo em escala da arca e determinaram que ela certamente seria grande o suficiente para levar um casal de cada tipo de animal, aves e insetos que nós temos hoje em dia, bem como Noé e sua família e um vasto suprimento de comida.

113.

A Arca de Noé: um Milagre em si Mesma

Precisamos nos assegurar de levar em consideração um fato muito importante quando falamos da arca de Noé. Naquele tempo, nada dessa magnitude havia sido construído! Ninguém tinha o conhecimento ou a experiência para projetar tal estrutura. Os barcos romanos de 50 a.C., ou os navios de guerra da época do Almirante Nelson, eram como nada em comparação àquela magnífica arca. **Então, onde Noé adquiriu o conhecimento para construir uma estrutura que até mesmo os modernos engenheiros navais têm determinado ser absolutamente adequada para sobreviver a um dilúvio de vastas proporções?** Isto certamente dá aos céticos algo para pensar. Aliás, é interessante que, mesmo nos dias de hoje, os transatlânticos utilizam as mesmas dimensões básicas da arca de Noé.

114.

Anéis de Árvores Refutam a Hipótese de Uma Terra Velha

Em 1975 John D. Morris, Ph.D., do Institute for Creation Research (*Instituto de Pesquisa da Criação*), sugeriu que os anéis de árvores de diferentes camadas da floresta fossilizada no Specimen Creek fossem comparadas. Sabe-se que muitas árvores desenvolvem um anel por ano e que é assim que a idade das árvores pode ser calculada. É também sabido que as condições atmosféricas podem deixar características nos anéis das árvores. Por exemplo, um ano extremamente úmido faz com que uma árvore produza um anel mais largo. Uma árvore que tenha sofrido de doença ou de uma infestação de insetos terá um anel anormal naquele ano. Lesões provocadas por geadas podem também ser detectadas através dos anéis das árvores. Se as árvores fossilizadas nas várias camadas tivessem crescido em períodos diferentes não deveria haver correlação em seus anéis. O Dr. Morris encarregou o Dr. Mike Arct de pesquisar as árvores fossilizadas no Specimen Creek. Arct observou que os padrões característicos de anéis das árvores fossilizadas de várias camadas **de fato correspondiam.** Isto significa que aquelas árvores, mesmo *parecendo que cresceram* em períodos diferentes, na verdade cresceram no mesmo período.

115.
Uma 'Floresta Fossilizada' em 15 Anos?

O Parque Nacional Yellowstone contém uma interessante coleção de fósseis que é conhecida como uma *floresta fóssil*. Por anos, os evolucionistas têm usado essa floresta fóssil como evidência de uma Terra velha. Ela parece como se camadas de florestas tivessem se fossilizado umas sobre as outras. No Specimen Ridge existem vinte e sete camadas. No Specimen Creek existem cerca de cinqüenta. Aparentemente, isso teria requerido longos períodos de tempo para que cada floresta crescesce até a maturidade, fosse destruída, outra floresta crescesse até a maturidade, fosse destruída e assim por diante. Algumas das árvores petrificadas contêm até 400 anéis. É assumido que a seqüência completa exigiu, no mínimo, alguns milhares de anos. Mas **observações dos eventos que se sucederam à erupção do vulcão Santa Helena, em 1980, podem explicar a floresta fossilizada em um período de tempo muito, muito menor.** Durante a erupção vulcânica, uma floresta inteira foi arrancada de um dos lados do vulcão, junto com vastas quantidades de solo. Cerca de um milhão de pinheiros foram arrancados do chão, indo parar no lago chamado Spirit Lake. Com o tempo, essas árvores começaram a se encher de água e afundaram. Em muitos casos a extremidade mais pesada dos afilados troncos afundou primeiro. O que nós acabamos observando é que muitos dos troncos, na verdade, afundaram verticalmente. Ao mesmo tempo, diferentes camadas de sedimento foram depositadas junto com as cinzas vulcânicas, que algumas vezes continham óxido de cálcio, formando, portanto, um tipo de cimento. Outras camadas haviam sido criadas da deposição das cascas de árvores, as quais formaram turfa. Assim sendo, o que nós temos no fundo do Spirit Lake são camadas de troncos na vertical e na horizontal, camadas de solo, cinzas e turfa vulcânicas, fazendo o lago se parecer com as florestas fossilizadas do Parque Nacional Yellowstone. O mais importante de tudo é que os resultados do desastre do monte Santa Helena têm cerca de 15 anos, e não um 'mínimo' de milhares de anos.

116.
Transformando Madeira em Pedra

É importante notar que não são necessários milhões de anos para que se forme madeira petrificada. Sob as condições adequadas, como foi descoberto em experiências de laboratório, a madeira pode ser petrificada (virar pedra) bem rapidamente. Acredita-se que as melhores condições acontecem quando a água do solo ferve por causa das cinzas vulcânicas quentes, repletas de dióxido de silício. Numa experiência feita, um pedaço de madeira foi jogado na água quente alcalina, rica em dióxido de silício, no Parque Nacional Yellowstone. Um ano depois, quando a peça de madeira foi retirada da fonte, foi observado que uma quantidade substancial de petrificação havia aparecido. Na verdade, madeira petrificada vem sendo produzida comercialmente para a produção de pisos de madeira dura.

117.
Caldeirões Queimam os Que Apóiam a
Idéia de Uma Terra Velha

Algo que é freqüentemente visto em minas de carvão é uma característica conhecida como um "caldeirão", que aparece como uma rocha circular no teto das minas. Na verdade, isso é o fundo de um tronco de uma árvore fossilizada que se estende através de diferentes camadas de rocha na mina. E o que isto tem a ver com a idade da Terra? Bem, a resposta está na maneira em que se entende que o carvão seja formado. Acredita-se que várias camadas de turfa se acumularam ao longo dos anos e foram finalmente cobertas por sedimentos no fundo do oceano. Acredita-se que a turfa tenha se transformado em carvão como resultado de grande calor e pressão resultantes do sepultamento debaixo do grande peso das águas e dos sedimentos do oceano. Nós sabemos hoje que a lama se acumula no fundo do oceano em taxas que variam de um a vinte e cinco milímetros por ano. Nessa taxa, levaria milhões de anos para a turfa se transformar em carvão. E o que isso tem a ver com os fósseis de árvores encontradas nas minas de carvão? Bem, se sabemos que o carvão vem da turfa, que por sua vez tem estado submersa debaixo do oceano, isto significa que estas árvores fossilizadas que estão passando através de várias camadas de rocha e carvão, teriam que ter crescido no oceano por milhões de anos. É bem sabido que essas árvores não podem sobreviver por muito tempo na água salgada – aliás, elas se deterioram no máximo em duas décadas. Não restam dúvidas que isso significa um problema e tanto para a teoria da evolução.

118.

Camadas de Rochas Devem Ter Sido Depositadas Rapidamente

Fósseis que se estendem através de muitas camadas são conhecidos como fósseis "poliestratificados". Não apenas troncos de árvores têm sido observados em diferentes estratos, mas plantas menores também. Fósseis de plantas semelhantes à cana, conhecidas como calamitas, têm sido observadas em estratos de calcário em Oklahoma. A cana é obviamente mais frágil que uma árvore e certamente não teria sobrevivido aos muitos anos que supostamente cada uma daquelas camadas de calcário levou para se depositar. Parece, portanto, que as camadas de calcário não foram depositadas gradualmente enquanto a cana continuava a crescer. Ao invés disso, parece que as camadas de rochas sedimentares foram depositadas muito mais rapidamente pela água.

119.

Histórias Globais Sugerem um Dilúvio Global

Sem dúvida têm havido muitos desastres aqui na Terra ao longo da história registrada pelo homem. Terremotos, furacões, erupções vulcânicas, tornados, incêndios, secas e doenças são apenas algumas das possibilidades que vêm à mente. Mas muito poucas histórias e lendas foram passadas através das gerações, dentro das diversas culturas, falando de tais desastres, com exceção de uma – a de um grande dilúvio. Ainda mais impressionante é a dispersão geográfica das culturas que partilham dessa história. Da extremidade sul da África, até os confins do interior da Austrália, dos antigos gregos aos babilônios, **lendas de um grande dilúvio que varreu toda a vida, exceto a de alguns humanos que escaparam em um barco, existem ao redor do globo**.

Isto sugere uma experiência histórica comum entre estes povos e nações tão diversos.

De Onde Nós Viemos?

120.

E Você Pensava Que os Homens *Modernos* Fossem Porcos!

Muitas pessoas se recusam a crer no relato bíblico de Gênesis por que foram ensinadas que o homem evoluiu do macaco para criaturas parecidas com o homem, conhecidas como hominídeos, e finalmente para o homem moderno. A Bíblia, dizem eles, não faz nenhuma menção a estes homens das cavernas, e por isso ela simplesmente não pode ser precisa. Enquanto *parece* haver evidências arqueológicas para a existência de tais hominídeos, **muitos dos exemplos usados para provar sua existência têm sido ou fraudulentos ou baseados em evidências insuficientes**. Tomemos por exemplo o caso do chamado *Homem de Nebraska*. Em 1922 um dente molar foi desenterrado no estado de Nebraska. O professor Henry Osborn, que era o chefe do Museu Norte-Americano de História Natural, afirmou que esse dente pertenceu a um hominídeo primitivo. Uma representação de um artista, *baseada em um dente* deste suposto homem-macaco foi desenhada. Mais tarde, em 1928, foi descoberto que o dente tinha, na verdade, vindo de um porco extinto. Mas **de alguma forma, e isto é o ponto importante, a descrição do artista continua por aí!**

121.

Nenhum Osso a Respeito

Vamos agora considerar o caso de "Lucy". No meio dos anos 70 o paleontologista Carl Johanson desenterrou, na Etiópia, parte de um esqueleto apelidado de "Lucy". Ela era supostamente uma representante primitiva de uma linhagem de primatas que era bípede (que andava ereta sobre dois pés). Mais tarde fomos informados de que, na realidade, apenas 40% do esqueleto de Lucy havia sido encontrado. Posteriormente, Johanson revelou, numa entrevista na Universidade do Missouri, que **a junta do joelho com a qual ele determinou que Lucy era bípede foi descoberta em uma camada de rocha que estava não apenas 18, 5 metros mais baixo que o resto do esqueleto de Lucy, como também a mais de 800 metros de distância!**

122.
Gênesis Não Tentou Alistar Cada Criatura da Terra

Os antropologistas reivindicam que, mesmo que alguns exemplos da linhagem dos primatas sejam falsos, ainda existem casos legítimos o suficiente para provar a existência de hominídeos (primatas não humanos que andavam eretos). Afinal, existem ossos em exibição nos museus que parecem mostrar sua existência. Essa é uma área cinzenta para a qual nem a natureza, nem a Bíblia, oferecem uma solução concreta. O fato de a Bíblia não mencionar esses primatas não significa necessariamente que Deus não os tenha criado. Afinal, a Bíblia também não menciona insetos no relato da criação em Gênesis. Aliás, a Bíblia não dá (nem se propõe a dar) um relato completo e definitivo da cronologia da criação. Ela é um sumário bem abreviado. Portanto, é natural que categorias inteiras de criaturas tais como os insetos tenham sido omitidas.

123.
Bem, eu Serei Sobrinho de um Macaco... Não!

Mesmo que os hominídeos *tenham* existido como os antropólogos reivindicam, não há evidências de que eles foram ancestrais do homem. O que torna o homem distinto dos outros primatas e de outras espécies? De acordo com a Bíblia, Deus criou pessoalmente Adão e Eva. Ele deu-lhes um espírito. Isso é o que distingue o homem de outras criaturas vivas. É nisso que somos únicos. Por outro lado, os antropólogos não religiosos têm amontoado todas as espécies primatas na mesma categoria do homem. À uma só voz, eles reivindicam que os hominídeos usavam ferramentas, e que isso os torna bons candidatos a ancestrais do homem. Mas também existem algumas criaturas hoje em dia que utilizam ferramentas. Lontras marinhas, por exemplo, podem ser vistas flutuando de costas na superfície da água com uma pedra sobre sua barriga. Elas então batem nos ouriços-do-mar com a pedra para abri-los e comer o que está dentro. Os antropólogos também reivindicam que os hominídeos sepultavam seus mortos. Os elefantes têm uma forma de sepultar seus mortos. Quando a matriarca morre, os outros elefantes se reúnem à sua volta e a cobrem com palha. **Logo, o uso de ferramentas e o funeral dos mortos não são atributos do espírito que *é* exclusivo do homem**.

124.

O Espírito da Coisa

Que critério deveria ser usado para distinguir o homem espiritual dos primatas? Bem, o aparecimento de relíquias religiosas poderia ser usado para tal. Dependendo de que erudito hebreu você consultar, o homem foi criado em algum momento entre 6.000 e 50.000 anos atrás. A evidência científica do homem espiritual, determinada pelo mais antigo objeto religioso conhecido, encontra-se em algum ponto entre 8.000 e 24.000 anos atrás. Portanto, as datas bíblicas e as datas antropológicas para o homem espiritual não estão em um conflito tão grande como muitos acreditam.

125.

Evidência Molecular

Se os primatas, incluindo o homem, estão todos na mesma árvore genealógica, então deveriam existir algumas evidências biológicas disso. Entretanto, a biologia molecular tem demonstrado que, pela comparação das seqüências de moléculas de proteínas dos primatas (macacos, homem), não existe sobreposição no sistema de classes. Em outras palavras, **não existe evidência a nível biológico molecular de que algum deles seja parente ou descendente do outro**.

126.

A Busca Por Eva

Falando em biologia molecular, têm sido descobertas evidências que sugerem que todos os humanos vieram de um ancestral comum. O DNA dentro do núcleo de nossas células contém genes que nós herdamos tanto de nossa mãe quanto de nosso pai. Recentemente, uma interessante descoberta foi feita a respeito do DNA. Foram descobertas mitocôndrias dentro daquilo que conhecemos como "estações geradoras de força", dentro das células, mas fora do núcleo. A mitocôndria também contém genes. Mas esses genes são transmitidos apenas pela fêmea. Vicent Sarich e Allan Wilson, dois bioquímicos, estavam interessados em fazer um gráfico da migração dos povos ao redor do mundo. Eles procuraram voltar no tempo para achar a mulher que teria transmitido esse DNA mitocondrial. Coletaram uma seção cruzada de amostras de DNA de mulheres ao redor do mundo e **concluíram de sua pesquisa que as características do DNA de todas as mulheres que testaram vieram da mesma mulher**.

127.

Um Ancestral Comum?

De acordo com a edição da revista *Science* de 26 de maio de 1995, um estudo sobre uma parte do cromossomo sexual masculino foi feito em 38 homens. Uma surpreendente falta de variação genética foi descoberta, levando à conclusão de que o homem moderno poderia de fato ter vindo de um ancestral comum.

128.

Lacunas em Gênesis?

Alguns têm usado as genealogias bíblicas para determinar a data da criação do homem. Quando as idades das genealogias dos capítulos 5 a 10 de Gênesis são calculadas, elas nos levam de volta aos anos 4.000 a.C. Isto significaria que a criação do homem teria acontecido há cerca de 6.000 anos. Entretanto, arqueólogos parecem ter fornecido evidências de que o homem moderno existe há 10.000 anos. Há uma solução possível para essa discrepância. **Existe uma boa razão para se acreditar que existem algumas lacunas genealógicas no livro do Gênesis.** Nós sabemos com certeza que há uma lacuna na genealogia de Mateus 1. Mateus 1.8 nos diz que "Jorão gerou Uzias", mas quando comparado a 1 Crônicas 3.11-14 somos informados que a genealogia foi de Jorão a Acazias, a Joás, a Amazias, a Uzias (Azarias). Além disso, sabemos de pelo menos uma aparente lacuna na genealogia de Gênesis. Lucas 3.36 nos conta que entre Arfaxade e Salá houve Cainã. Entretanto, Cainã não aparece na genealogia de Gênesis 10. Já que parecem existir lacunas nas genealogias, calcular a idade da raça humana pela adição das idades destas genealogias não é um método completamente preciso.

129.

Uma Noiva Para Caim

Não podemos fechar esta seção sem responder a uma crítica clássica à criação de Adão e Eva por Deus. Se Adão e Eva tiveram apenas dois filhos, Caim e Abel (que mais tarde foi morto por Caim), como poderia Caim ter se casado? Bem, Gênesis 5.4 diz que nos 930 anos de vida de Adão ele gerou filhos e *filhas*. Obviamente Caim poderia ter se casado com uma irmã ou uma sobrinha.

130.

Caim Cometeu Incesto?

Têm sido argumentado por alguns que, já que Caim deve ter casado com sua própria irmã, ele deve ter cometido incesto, o que a Bíblia condena. E o incesto resulta em defeitos genéticos, como é bem conhecido hoje em dia. Em primeiro lugar, a lei contra o incesto não havia sido registrada por Moisés (Levítico 18) até centenas de anos depois da vida de Caim. Em segundo lugar, não havia defeitos genéticos nos primeiros dias da raça humana. Adão foi criado perfeito por Deus.

E Quanto Aos Dinossauros?

131.

Por Que Não há Dinossauros na Bíblia?

Como foi no caso dos "homens das cavernas", muitas pessoas hoje em dia se recusam a acreditar que a Bíblia é um registro histórico acurado por que ela falha em fazer menção aos dinossauros. Novamente, temos que lembrar que **a Bíblia também não menciona insetos**. O relato da criação em Gênesis foi somente um resumo e então o fato dos dinossauros não serem mencionados não parece ser um argumento forte o suficiente para provar que a Bíblia não é precisa. Nem todos os cristãos contestam a existência de dinossauros, o que parece ser de bom senso, já que os museus pelo país e ao redor do mundo estão repletos de restos dessas criaturas.

132.

Behemoth e Leviatã

Alguns cristãos acreditam que os dinossauros *são* mencionados na Bíblia. Embora não se trate de uma citação direta e literal, existe uma referência a criaturas que *podem ter sido* dinossauros. Nós temos que ter em mente que a própria palavra "dinossauro" tem cerca de 150 anos de idade, de forma que certamente não podemos esperar encontrá-la na Bíblia. Nos capítulos 40 e 41 do livro de Jó, nós encontramos referências ao *behemoth* e ao *leviatã,* que foram duas criaturas extremamente grandes que apavoravam o homem. É-nos contado que o *behemoth* era uma criatura muito grande que comia grama, podia se esconder na sombra de uma grande árvore, ou ser coberto por um salgueiro de um riacho. Mesmo que alguns cristãos acreditem que esta criatura era meramente um hipopótamo ou um elefante, existem duas outras descrições do *behemoth* no capítulo 40 de Jó que sugerem que ele era muito maior. Considerando que o livro de Jó é bem conhecido por sua exatidão quanto às leis da natureza, e que a Bíblia mesma não é propensa a exageros como os mitos religiosos (vamos tratar disso na próxima seção), parece possível que o *behemoth* não fosse um mero elefante ou hipopótamo. Jó 40.23 diz, por exemplo, que "se um rio transborda, ele não se apressa; fica tranquilo ainda que o Jordão se levante até a sua boca". Somente uma criatura muito grande poderia ter inspirado uma descrição assim. Além disso, Jó 40.17 descreve o rabo da criatura assim: "Endurece a sua cauda como cedro". Sabemos, sem sombra de dúvida, que os cedros são bem grandes, e certamente o rabo de um elefante ou de um hipopótamo não poderia ser comparado a uma árvore. Então talvez a Bíblia nos fale a respeito de dinossauros, mas nem todos tenham reconhecido isso.

A Precisão Científica
da Bíblia

133.

Deus e a Relatividade

Na realidade, um cuidadoso exame na Bíblia revela muitas observações científicas precisas que foram escritas muito tempo antes dos modernos cientistas as terem descoberto. A teoria geral da relatividade de Albert Einstein determinou que **o universo teve um começo, e alguma entidade, portanto, deve ter sido responsável por esse começo.** Por definição, então, essa entidade deve ter existido fora do universo para poder criá-lo. Hebreus 11.3 nos conta que o universo foi "formado pela palavra de Deus".

134.

Deus Veio Antes do Tempo...

A teoria da relatividade geral de Einstein tem sido aplicada à massa e à energia, desde que ele apresentou a famosa equação $E=mc^2$ (onde E refere-se à energia, m à massa e c à velocidade). No final dos anos 60 e começo dos anos 70, três astrofísicos ingleses, Stephen Hawking, George Ellis e Roger Penrose decidiram aplicar a teoria ao espaço e ao tempo. Mas o que estava faltando naquela época era um prova incontestável de que o universo era, de fato, governado conforme sugerido pela teoria de Einstein. Os cientistas foram capazes apenas de confirmá-la com 1% de precisão. Foi então que um foguete da NASA, equipado com avançada tecnologia de precisão, foi capaz de confirmar, com margem de erro menor que um milésimo de um porcento, que o universo realmente estava ajustado à teoria da relatividade geral de Einstein. **Com essa confirmação, também se concluiu que não apenas a massa e a energia no universo tiveram um começo, mas que o tempo também teve**. Então pode ser concluído também que a entidade responsável pela criação do universo não apenas existia fora do universo, *mas também fora do tempo*. 2 Timóteo 1.9 e Tito 1.2 nos dizem que as promessas que nós temos em Cristo nos foram dadas "antes dos tempos eternos" (ou seja, antes do início do tempo).

135.
...E do Espaço

A mesma conclusão foi alcançada quanto ao espaço. O que a Bíblia diz a respeito da existência de Deus fora do espaço? Depois que Jesus (que a Bíblia diz que *é* Deus que veio à Terra em corpo humano) ressuscitou, Ele foi encontrar Seus discípulos no cenáculo. A porta estava trancada e Ele simplesmente passou através da barreira física. Para provar que não era um espírito, mas um corpo de carne e osso, Ele convidou os discípulos a tocá-lO. Ele também comeu peixe e pão com eles para demonstrar que era, de fato, físico. Em nosso mundo de quatro dimensões, com uma dimensão no tempo e três dimensões no espaço, é impossível objetos materiais passarem através de barreiras físicas como portas e paredes. Esta é uma prova de que Deus não está limitado às nossas dimensões de espaço. Novamente então, a ciência tem descoberto o que a Bíblia já nos contou.

136.
As Explicações da Bíblia Sobre a Criação
Não Entram em Conflito Com os Fatos

Existem literalmente centenas de histórias da criação que vêm de várias religiões do mundo. Uma lenda chinesa da criação, por exemplo, afirma que um arranjo de estrelas cobre uma Terra quadrada, com a China no centro dela. Os egípcios reivindicam que uma deusa com um corpo estrelado estava descansando suas mãos e seus pés nos quatro cantos de uma Terra retangular. Uma lenda germânica diz que uma terra fria foi separada de uma terra de fogo por um amplo vale coberto de neblina. Um deus foi produzido na neblina, e quando esse deus morreu toda a vida brotou de seu cadáver. Os mesopotâmios acreditavam que a Terra flutuava sobre a água. Um telhado cobria a Terra e a chuva caía através de buracos neste telhado. O problema com estes mitos, no entanto, é que eles obviamente não se alinham com os fatos estabelecidos da natureza. Comparado às outras explicações da criação das religiões mundiais, o relato bíblico de Gênesis é o único que não entra em conflito com as modernas evidências científicas.

137.
A Bíblia Anos à Frente da Ciência Moderna

A Bíblia foi escrita num período em que muitos mitos religiosos ofereciam explicações para a criação que hoje, à luz das modernas explicações científicas, sabemos ser completa insensatez. Muitas pessoas naqueles dias acreditavam, por exemplo, que os terremotos eram causados por ondas gigantes que se chocavam contra o litoral quando uma tartaruga nadava no mar! Muitos também acreditavam que um deus grego sustentava a Terra com a força de seus braços. Mas a Bíblia não fazia parte da cultura popular daqueles dias, e a Palavra de Deus, quando se refere ao mundo natural, revela-se consistentemente alinhada com os fatos estabelecidos da natureza. O livro de Jó faz muitas referências ao funcionamento do mundo natural. Jó 26.7, por exemplo, diz que "Ele estende o norte sobre o vazio e faz pairar a terra sobre o nada". O versículo 8 diz: "Prende as águas em densas nuvens, e as nuvens não se rasgam debaixo delas". O primeiro versículo, portanto, está nos dizendo que a Terra está suspensa no espaço, e o segundo nos fornece uma descrição da evaporação.

138.

É Demais Para o Clube da Terra Chata

O livro de Isaías foi escrito muito antes do homem descobrir que a Terra não era plana. Assim nós lemos no capítulo 40, versículo 22 que Deus "está assentado sobre a redondeza da terra".

139.

O Relógio Não Pára...

Nós sabemos hoje, da segunda lei da termodinâmica, que a matéria da qual o universo é feito está decaindo e que ele, portanto, não é eterno. **Isso foi uma grande novidade para a ciência moderna, mas não para a Bíblia.** Séculos antes dos cientistas sequer pensarem na idéia, a Bíblia a deixava muito clara. No Salmo 102.25 e 26 somos informados de que o universo criado por Deus irá envelhecer como uma roupa velha. Isaías 34.4 nos diz que o "exército dos céus se dissolverá, e os céus se enrolarão como um pergaminho; todo o seu exército cairá".

140.

A Terra Não "Veio a Existir Das Coisas Que Aparecem"

Uma das mais surpreendentes referências científicas na Bíblia fala sobre os átomos que não podem ser vistos. A Bíblia nos diz que "foi o universo formado pela palavra de Deus, de maneira que o *visível* veio a existir das cousas *que não aparecem*" (Hebreus 11.3).

141.

Leis Divinas de Higiene Comprovadas Pela Medicina Moderna

A medicina moderna tem comprovado que muitas das leis higiênicas que Deus deu aos israelitas são corretas. Quando a peste negra atacou a Europa e quando a lepra se espalhou, em vários momentos os judeus foram condenados pelo simples fato de que estas pragas não estavam se alastrando em seus guetos. Por quê? Por que eles não tinham esgotos correndo em suas ruas como era o caso de muitas outras cidades, como Paris, por exemplo. Lá, o esgoto estava correndo para o rio Sena e as pessoas não apenas se banhavam na sua imundície como bebiam dela também! Ainda podemos ver este tipo de coisa acontecendo hoje em dia em países como a Índia e o Egito, que são nações não-cristãs e, portanto, não seguem os princípios da Bíblia. **Por seguir as leis de higiene da Bíblia, os judeus através dos tempos têm conseguido evitar muitas das pragas e doenças que têm arrasado outras culturas**.

142.

Dicas de Alimentação Diretamente de Deus

Além das leis de higiene, Ele também deu aos israelitas muitas ordens a respeito da alimentação. Eles foram instruídos, por exemplo, a não comer carnes como a de porco, que hoje em dia sabemos que precisa ser cozinhada com extremo cuidado, já que carrega parasitas. Eles foram instruídos a não comer peixes sem escamas como a lagosta e o caranguejo, que hoje em dia são suspeitos de conter agentes cancerígenos. Também foram instruídos a não comer carne junto com laticínios, o que hoje sabemos ser muito pesado para o sistema digestivo. Então estas leis de alimentação não foram dadas meramente por motivos religiosos, como muitos acreditam, mas por motivos de saúde – e que conselhos saudáveis!

143.

Sabedoria de Deus na Sala de Operações

Vamos agora considerar o costume judeu da circuncisão, no qual a carne do prepúcio do menino é cortada. Os israelitas foram instruídos a realizar a circuncisão no oitavo dia após o nascimento. Somente em anos recentes foi descoberto que **o fator de coagulação do sangue em um bebê não atinge o seu ponto máximo até o oitavo dia após o nascimento, depois ele cai novamente!** Então, de acordo com a ciência moderna, o oitavo dia é o momento ideal para realizar a circuncisão. Essa instrução era considerada tão importante que o rito não era adiado nem mesmo quando o oitavo dia caía num sábado.

144.

O Caso da Circuncisão

Interessantemente, muitos médicos e hospitais hoje em dia realizam circuncisões quando isso é solicitado, porque foi descoberto pela medicina que homens que não foram circuncidados têm maior chance de causar câncer cervical em suas esposas. Existe uma taxa muito baixa de câncer cervical em mulheres judias.

145.

O Início do Sistema de Saúde Pública

O livro de Deuteronômio (23.13) diz que os soldados judeus deveriam ter "um pau", ou uma pá, junto às suas armas, para que, quando eles tivessem que "se aliviar", pudessem cavar uma latrina e enterrar os dejetos. Até a Primeira Guerra Mundial, cerca de dez vezes mais soldados morriam de doenças, do que de ferimentos de guerra, porque não conheciam a necessidade de cavar uma latrina e enterrar os dejetos humanos. O livro de Deuteronômio foi escrito por Moisés, que havia sido educado pelos egípcios. Eles acreditavam, por exemplo, que as feridas poderiam ser curadas esfregando-as com esterco de camelo. **Como Moisés descobriu que enterrar dejetos era mais higiênico do que usá-los para propósitos médicos?** É outra prova maravilhosa da divina mão de Deus guiando os escritos da Bíblia.

146.

A Bíblia Reconhece o Papel Dos Micróbios Nas Doenças

No final do século XIX, Louis Pasteur desenvolveu sua teoria de que eram os micróbios que causavam doenças, e não venenos que se desenvolviam nos órgãos, como outros cientistas acreditavam. Também predominavam naqueles dias muitos mitos, em várias culturas, sugerindo que maus espíritos eram a causa de doenças. **Os livros de Levítico e Deuteronômio, entretanto, escritos milhares de anos antes, estão repletos de várias referências de higiene sobre como manter-se longe das doenças.** Se alguém estava doente, os israelitas eram instruídos a cobrir quaisquer recipientes abertos que contivessem comida ou bebidas. Se alguém estava sofrendo de uma praga, os judeus eram instruídos a remover essa pessoa para fora do arraial, com alguém sendo designado para ir com ela e cuidar dela. Eles eram instruídos a constantemente limpar suas mãos e roupas enquanto tratavam de pacientes. Alguns bispos vienenses que seguiram essas regras durante uma praga no século XVII conseguiram impedir a disseminação da mesma. Então, a Bíblia obviamente reconhecia que as doenças eram causadas pela disseminação de micróbios – anos antes que a descoberta científica pudesse alcançar esse conhecimento.

147.

Médico Cristão Aplica Ensinamentos Bíblicos e Salva Vidas

Um quacre crente chamado Joseph Lister deu continuidade ao trabalho de Pasteur e se tornou o fundador da cirurgia anti-séptica. Ele trabalhou em várias experiências que levaram à prática de desinfetar instrumentos cirúrgicos. Apesar disso, ainda levou muito tempo para que os hospitais adotassem a prática da higiene completa. Em muitos hospitais por toda a Europa, no começo do século XX, por exemplo, os médicos saíam de uma sala de autópsia e, sem lavar as mãos, iam fazer um parto. Não é necessário dizer que havia uma alta taxa de mortalidade entre mães parturientes e recém-nascidos enquanto essa prática perdurou. Mais tarde, um médico cristão decidiu implementar algumas das coisas que ele havia aprendido da Bíblia e fez com que o pessoal do seu departamento no hospital começasse a lavar as mãos entre cada procedimento médico. O resultado? Uma dramática redução na taxa de mortalidade dentro de seu departamento! Aliás, levou muitos anos para os cientistas 'descobrirem' que os micróbios existiam, e que eles podiam ser transmitidos pelo ar ou por procedimentos médicos insalubres.

A Arqueologia e a Bíblia

148.

Referências Bíblicas ao Rei Herodes
Comprovadas Por Recentes Descobertas

Por muitos anos, os céticos têm trabalhado arduamente para encontrar erros na Bíblia. Mas, a despeito de seus incríveis esforços, eles apenas conseguiram estabelecer evidências cada vez mais fortes, provando justamente o oposto – que a Bíblia é, na verdade, totalmente correta. **Algumas das melhores evidências da precisão bíblica vêm do campo da arqueologia, cuja pesquisa nos dias modernos tem desenterrado sólidas evidências das pessoas, lugares e eventos mencionados na Bíblia.** A Bíblia fala, por exemplo, de um rei chamado Herodes. Recentes escavações arqueológicas têm provado, sem sombra de dúvidas, que tal rei de fato existiu e viveu exatamente onde e quando a Bíblia diz que ele viveu. Por anos, peritos em história duvidaram que Herodes, de fato, tivesse existido, mas agora moedas levando o seu nome têm sido desenterradas, provando que a Bíblia estava certa. Escavações arqueológicas em Samaria, Cesaréia, Jerusalém, Jericó e Massada, todas têm comprovado a existência desse rei.

149.

Nenhuma Evidência Contraditória Jamais Encontrada

Outros personagens e lugares na Bíblia também têm existência conhecida através da evidência providenciada pela arqueologia. Os arqueólogos desenterraram, por exemplo, os restos do palácio do rei Salomão e seus estábulos em Megido. O tanque de Betesda, em Jerusalém, descrito na Bíblia, também já foi descoberto. A terra de

Israel contém uma abundância de tesouros históricos, e *cada um deles* apóia o relato bíblico da história.

150.

Provas Físicas da Existência do Rei Davi

Outra figura histórica cuja existência foi questionada foi o rei bíblico Davi, de quem aparentemente não havia evidência física. Entretanto, em 1993, em Tel Dan, Israel, foi descoberto um pedaço de rocha que trazia entalhada a inscrição "Casa de Davi" e "Rei de Israel". A revista Time resumiu a descoberta assim: "Esta inscrição – datada do 9° século a.C., somente um século após o reinado de Davi – descreve uma vitória de um rei vizinho sobre os israelitas. Alguns minimalistas tentam argumentar que a inscrição deve ter sido mal lida, mas a maioria dos peritos acredita que Biran e Nivah [os dois arqueólogos que descobriram o grosso pedaço de basalto em Tel Dan] a leram certo. **A reivindicação dos céticos de que o rei Davi nunca existiu é agora difícil de defender**".[1] Esta prova da existência de Davi é especialmente importante já que era profeticamente exigido que Jesus Cristo, para ser o Messias, deveria ser um descendente de Davi (vamos estudar isso numa seção posterior).

1 *Time;* 18 de dezembro de 1995; "São verdadeiras as histórias da Bíblia?", por Michael D. Lemonick; p 68.

151.

Evidência Para a Existência de Jesus Cristo

Uma das questões históricas mais importantes, é claro, é se Jesus Cristo existiu realmente ou não. Bem, os arqueólogos têm descoberto artefatos do 1° século que levam Seu nome, provando, pelo menos, que alguém com esse nome existiu e viveu por volta da época que a Bíblia diz que Cristo viveu. Além do mais, o fato de que o tempo moderno tem sido registrado como a.c. (antes de Cristo) e d.C. (depois de Cristo) parece sugerir a existência de uma pessoa proeminente com esse nome. O historiador judeu Josefo, que não acreditava na divindade de Jesus Cristo, faz menção dele, bem como de Seu irmão Tiago. Em *Antigüidades* ele escreveu "Mas o jovem Anás que, como nós dissemos, recebeu o sumo sacerdócio, era de uma disposição arrojada e excepcionalmente ousado; ele seguia o partido dos saduceus, que eram os julgadores mais severos dentre todos os judeus, como já temos mostrado. E, como Anás tinha tal disposição, ele pensou que tivesse agora uma boa oportunidade, já que Festo estava morto, e Albino ainda estava surgindo; então ele reuniu um conselho de juízes, e trouxe perante esse conselho o irmão de Jesus, o chamado Cristo, cujo nome era Tiago, junto com alguns outros, e tendo-os acusado de violarem a lei, entregou-os para serem apedrejados". **Então parece claro, pelo menos historicamente, que Jesus Cristo existiu e viveu em Israel do jeito que a Bíblia ensina.**

152.
Pôncio Pilatos Diz: "Ei, Esta é a Minha Cadeira"!

Outra figura proeminente da Bíblia cuja existência era posta em dúvida por muitos historiadores, por falta de evidência arqueológica, era Pôncio Pilatos. Entretanto, um dos maiores historiadores romanos, Cornélio Tácito, faz menção dele em seu *Anais* (xv. 44 – 54-68 d.C.). Relatando a perseguição de Nero aos cristãos, Tácito registrou : "Portanto, para cessar o rumor [de que Nero tivesse provocado o incêndio que devastou Roma em 64 d.C.], Nero culpou e puniu os chamados cristãos com extremos requintes de crueldade. Cristo, de quem eles levavam o nome, havia sido executado por sentença do procurador Pilatos, quando Tibério era o imperador". Além disso, durante escavações arqueológicas em um teatro em Cesaréia, no litoral de Israel, uma pedra que havia sido utilizada como um dos assentos do teatro foi virada. A pedra, que originalmente havia sido usada como um marco de estrada, tinha uma inscrição com o nome de Pôncio Pilatos.

153.

Achado de Jericó Apóia a Cronologia Bíblica

Pesquisas conduzidas pela arqueóloga inglesa Kathleen Kenyon confirmaram a existência de um lugar descrito na Bíblia como Jericó. Entretanto, suas investigações levaram-na a concluir que Jericó não poderia ter existido depois de 1550 a.C., claramente contradizendo a cronologia bíblica de sua destruição por Josué e os israelitas. Anos mais tarde, entretanto, outros arqueólogos encontraram evidências que mostraram que a data de Kenyon estava incorreta e que a existência de Jericó de fato se encaixava na cronologia bíblica.

154.

Comprovado o Relato de Josué

De acordo com um trabalho publicado na *Biblical Archaeology Review* (Março/Abril de 1990), remanescentes da cidade de Jericó claramente mostram que seu fim, de fato, se alinha com o relato bíblico. As evidências mostram que a cidade era muito bem fortificada; que ela foi atacada depois da colheita da primavera; que não houve tempo suficiente para que seus habitantes fugissem com suprimentos de comida; que o cerco não durou o suficiente para que os moradores da cidade consumissem seu estoque de alimentos; que a muralha era nivelada, de forma que provia fácil acesso para que o cerco acontecesse; que os invasores não saquearam a cidade; e que a cidade foi de fato queimada depois que a muralha foi destruída. **Cada um destes achados está perfeitamente de acordo com o relato dado em Josué 2 e 6.**[1]

1 Como citado em Geisler, Howe; op. cit.

155.

Deixe os Tijolos Caírem de Qualquer Jeito

Durante escavações no início dos anos 30, foi determinado a partir dos restos da muralha de Jericó, que ela não foi empurrada para dentro como seria de se esperar, se tivesse sido derrubada por atacantes com arietes. Ao invés disso, a muralha parece ter caído diretamente para baixo, como se a Terra tivesse desaparecido de debaixo dela. O relato bíblico nos conta que ela foi derrubada sobrenaturalmente.

156.

Eu Ainda Estou de Pé

Quando os muros de Jericó caíram, eles o fizeram diretamente para baixo, como se esperaria durante um terremoto. Mas existe algo mais de incomum na maneira como eles caíram. Parece que todos os muros caíram, com a exceção de uma porção do muro do lado norte. Lá, a muralha, de alguma forma, conseguiu permanecer de pé. A Bíblia nos conta a história de Raabe, uma prostituta cananéia, que escondeu os espiões de Israel que foram para espiar a cidade. Ela os escondeu em sua casa, que fora construída no muro da cidade. Os espias lhe disseram que trouxesse sua família para sua casa, pois então eles seriam poupados. A Bíblia nos conta que a casa de Raabe foi de algum modo poupada, quando o resto da cidade caíu. **Os arqueólogos não apenas encontraram a parte da muralha que permaneceu de pé, mas descobriram que haviam casas construídas naquela parte da muralha.**

157.
O "Rei" Que a História Esqueceu

Daniel 5 nos fala que Belsazar era o rei da Babilônia quando ela caiu. Entretanto, os arqueólogos nunca puderam encontrar prova da existência de tal pessoa. A evidência apontava para Nabonido como o rei da Babilônia naquele tempo. Entretanto, o relato de Daniel como registrado na Bíblia tem sido confirmado por descobertas arqueológicas mais recentes. Nabonido foi, de fato, rei da Babilônia de 556 a 539 a.C.. Mas em 553 a.C. ele partiu numa longa jornada, deixando seu filho primogênito, Belsazar, no cargo. Então, quando Ciro conquistou a Babilônia, Nabonido estava no norte da Arábia e Belsazar era quem estava reinando. Este fato foi descoberto quando os arqueólogos desenterraram um documento conhecido como o "Relato Em Versos Persas de Nabonido". Antes deste documento, Belsazar era desconhecido, já que os historiadores gregos estavam principalmente interessados em reis oficiais. Como Belsazar era apenas um subordinado, seu nome não foi registrado como quem estava reinando e os historiadores logo se esqueceram completamente dele.

158.
Entrada Proibida!

No livro de Atos, nos é dito que o apóstolo Paulo provocou uma revolta em Jerusalém quando levou um grupo de gentios para o templo judaico. Os gentios *eram* admitidos no pátio exterior, mas não lhes era permitido passar daí. Os judeus colocaram sinais, em latim e em grego, advertindo que qualquer gentio que fosse além do pátio exterior iria morrer. Em 1871 um destes avisos em grego foi descoberto em Jerusalém, confirmando o relato bíblico. O aviso dava pouca margem a uma má interpretação, pois dizia simplesmente: "Nenhum estrangeiro pode passar da barreira que cerca o templo e a área adjacente. Qualquer um que for pego fazendo isso será pessoalmente responsável pela morte que lhe advirá".

A Precisão Histórica da Bíblia

159.

"A Igreja de Deus é uma Bigorna que Tem Gasto Muitos Martelos"

As provas arqueológicas da exatidão da Bíblia também demonstram sua precisão histórica. **A Bíblia tem sido criticada mais do que qualquer outro livro no mundo, e ainda assim tem resistido ao crivo do tempo e aos constantes ataques de seus críticos.** H.L. Hastings disse uma vez: "Durante dezoito séculos os incrédulos têm refutado e atacado esse livro, e, no entanto, ele está hoje firme como uma rocha. Sua circulação aumenta, e hoje ele é mais amado, apreciado e lido do que em qualquer outra época. Com todos os seus violentos ataques, os incrédulos conseguem fazer a esse livro o mesmo que uma pessoa, com um martelo para tachinhas, conseguiria fazer às pirâmides do Egito. Quando o monarca francês propôs a perseguição aos cristãos em seu território, um idoso estadista e militar lhe disse: "Majestade, a Igreja de Deus é uma bigorna que tem gasto muitos martelos". De modo que os martelos dos incrédulos têm, durante séculos, desferido golpes nesse livro, mas os martelos se gastaram e a bigorna ainda está inteira. Se esse livro não fosse o livro de Deus, os homens o teriam destruído há muito tempo. Imperadores e papas, reis e sacerdotes, príncipes e governantes, todos eles têm tentado destruí-lo. Eles morrem e o livro sobrevive".[1]

1 Lea, John W.; *O Maior Livro do Mundo;* Filadélfia: s. ed., 1929: como citado em McDowell, Josh; *Evidência que Exige um Veredito;* Vol. 1; Editora e Distribuidora Candeia, São Paulo, SP, 1989.

160.
A Bíblia, Uma Sobrevivente

A Bíblia não apenas tem resistido ao teste do tempo diante de seus críticos verbais, ela também tem resistido ao teste do tempo diante daqueles que têm tentado erradicá-la *fisicamente*. Em 303 d.C., por exemplo, Diocleciano ordenou que a Bíblia fosse destruída. Mas, como diz Bernard Ramm, "A Bíblia tem resistido, mais que qualquer outro livro, aos virulentos ataques dos seus inimigos. Muitos têm procurado queimá-la, baní-la e torná-la ilegal, desde os tempos do Império Romano até hoje em dia nos países dominados pelo comunismo"'.[1]

1 McDowell, Josh; *Evidência que Exige um Veredito;* Vol. 1; Editora e Distribuidora Candeia, São Paulo, SP, 1989, p. 25; citando Ramm, Bernard, Provas Cristãs Protestantes; Chicago; Moody Press, 1957.

161.
Descoberta Uma "Internet" Bíblica

Até recentemente, algo que dificultava aos historiadores verificar muitos dos registros históricos da Bíblia, era o fato de que eles não podiam compreender muitas das línguas primitivas, encontradas em artefatos antigos. Em 1822 um francês de nome Jean Champollion decifrou o que era conhecido como a "língua do faraó". Isto permitiu que os historiadores finalmente fossem capazes de ler uma abundância de escritos egípcios. Mais tarde, um feito similar foi conseguido por um oficial do exército inglês chamado Henry C. Rawlinson. Sua pesquisa adicionou mais três linguagens antigas à lista de linguagens que nós podemos compreender hoje. Essas novas traduções foram então usadas para decifrar os escritos em alguns tabletes de argila encontrados em Tell el-Armana, no Egito. Contidos nos tabletes estavam comunicações oficiais entre o Faraó do Egito e os governantes da Babilônia, assim como os governadores da Palestina, Fenícia, Síria e algumas nações asiáticas menos importantes. Esta descoberta provou, como estava sugerido na Bíblia, que as **nações daquela parte do mundo eram todas capazes de se comunicar umas com as outras, e com o poderoso império da Babilônia, com grande facilidade.**

162.
Como eu Vou de Belo Horizonte Para Minas Gerais?

Sir William Ramsay, um dos mais famosos arqueólogos de todos os tempos, devotou intenso estudo ao evangelho de Lucas. Ramsay duvidava da autenticidade de Lucas por causa do que pareciam ser discrepâncias históricas dentro do livro. Uma de tais aparentes discrepâncias era o relato feito por Lucas, de que Paulo e Barnabé fugiram de Icônio para as cidades na província de Licaônia (Atos 14). Historiadores estavam de acordo em que Icônio era uma cidade localizada na província de Licaônia. Isto seria como dizer que eles fugiram de Belo Horizonte para Minas Gerais. Então foi determinado que quem quer que tivesse escrito o evangelho de Lucas, não deveria estar familiarizado com a geografia da região. A pesquisa de Ramsay, entretanto, junto com outras descobertas arqueológicas, revelou que, durante o tempo em que Paulo e Barnabé fugiram de Icônio, a cidade fazia parte da província da Frígia, e não da Licaônia, como os historiadores acreditavam a princípio. Mais uma vez, o relato bíblico estava correto.

163.
Confirmada A Prática de Censos

Outra suposta inconsistência no evangelho de Lucas era sua referência ao fato de que José e Maria tiveram que retornar a Belém, que era a cidade da linhagem de José, para alistar-se (Lucas 2.1-3). Os historiadores não acreditam que tal decreto tivesse sido, de fato, promulgado. Entretanto, durante uma escavação arqueológica no Egito, uma cópia de um edital datado de 104 d.C. foi desenterrada. O edital, expedido por C. Vibius Maaximus, magistrado romano do Egito, declarava: "Estando próximo o alistamento por famílias, é necessário avisar a todos que, por qualquer motivo, estejam fora de seus distritos administrativos, que retornem imediatamente para suas casas para se realizar o alistamento habitual..." Esse documento, portanto, confirmou que decretos que obrigavam os cidadãos a voltarem para seus lugares de origem por motivos administrativos, realmente, aconteciam.

164.

No Fim, A Cronologia de Lucas Está Certa

A verificação dos procedimentos para se realizar um censo levaram a outra aparente inconsistência. Lucas se referiu a um censo que aconteceu sob o reinado de César Augusto. Os historiadores afirmavam que tal decreto, na realidade, teria ocorrido em 6 ou 7 d.C., tornando a cronologia de Lucas incorreta. Hoje, entretanto, os historiadores concordam amplamente que de fato houve um censo na época que Lucas sugeriu. Esses tipos de censo aconteciam a cada 14 anos, e de acordo com investigações de Ramsay (*Was Christ Born in Bethlehem?*, 1898), os documentos que registraram esses censos salientavam que um deles ocorreu em 8 ou 7 a.C.. Esse censo, entretanto, não se aplicava somente a Israel (os romanos se referiam a Israel como Palestina). Ele se aplicava a todo o território dominado por Roma. E, pelo fato de que tal registro levaria vários anos para se completar, é provável que ele não tenha ocorrido em Israel até depois de 8 ou 7 a.C.. Isso se encaixaria perfeitamente com a cronologia de Lucas.

165.

Certo Novamente!

Outra crítica ao evangelho de Lucas inclui sua referência a Filipos como sendo um "distrito" da Macedônia. A palavra grega para distrito [no texto de Atos 16.12] é *meris*. Os historiadores acreditavam que o evangelho de Lucas tinha usado a palavra incorretamente. Entretanto, descobertas arqueológicas posteriores demonstraram que a palavra *meris* foi, de fato, usada para distrito.

166.

Jogo de Palavras

Outra palavra que o autor de Lucas foi acusado de usar incorretamente foi *duumuirs*, representando um governante filipense. Mais uma vez, ficou comprovado mais tarde que Lucas estava correto. Existem outras palavras ainda, tais como *praetor, proconsul* e *politarchs*, que Lucas usou corretamente, a despeito das dúvidas dos historiadores.

167.

Historiador Muda de Lado

Lucas também declarou que Quirino era o governador da Síria na época em que o censo ocorreu. Os historiadores retrucaram que o governador da Síria na época era *Saturninus*, porque Israel estava sob a autoridade do governador romano da Síria. Entretanto, uma inscrição encontrada em Tiberíades revelou que Quirino havia sido o governador não apenas uma vez, mas duas, a primeira entre 10 e 7 a.C. e mais tarde em 6 d.C. Então, mais uma vez, **as investigações de Ramsay quanto à aparente falta de precisão histórica do evangelho de Lucas confirmaram que Lucas, de fato, estava correto**. Tão pasmo ficou Ramsay com o que encontrou, que **apesar dele ter inicialmente o objetivo de provar que a Bíblia era historicamente imprecisa, finalmente tornou-se crente** e um conhecido defensor do Novo Testamento.

168.

A Lista de Nações Continua a Ser Impressionante Ainda Hoje

O capítulo 10 de Gênesis contém uma "lista de nações". Conforme notou o arqueólogo William Albright, ela "permanece um documento impressionantemente preciso... [e] mostra uma compreensão tão notavelmente 'moderna' da situação étnica e linguística no mundo moderno, a despeito de toda a sua complexidade, que os eruditos nunca deixam de se impressionar com o conhecimento do autor quanto ao assunto".[1]

1 Albright, William F.; Descobertas Recentes nas Terras Bíblicas; Nova Iorque; Funk and Wagnalls; 1955.

169.

Moisés Escreveu Aquilo?

Críticos que compartilham a convicção de que Moisés não poderia ter escrito os primeiros cinco livros da Bíblia, o Pentateuco, reivindicavam que a escrita simplesmente não existia no tempo de Moisés. Entretanto, em 1964, a primeira das que viriam a se tornar conhecidas como as tábuas* de Ebla, foi desenterrada no sítio de Tell Mardikh, ao norte da Síria. Essas tábuas continham escritos a respeito de códigos legais, procedimentos jurídicos e causas legais. Pelo fato das tábuas de Ebla serem cerca de mil anos mais velhas do que a lei mosaica, podemos saber que a palavra escrita já havia sido desenvolvida no tempo em que Moisés teria escrito o Pentateuco.

* Tábuas de argila em que se gravavam os caracteres, após o que eram levadas ao forno.

170.

Uma Cultura Mais Avançada do Que Muitos Acreditam

Outras descobertas também têm sido feitas as quais provam que a escrita já estava significativamente estabelecida no tempo de Moisés. Josh McDowell relatou que "Cyrus Gordon, ex-professor de Estudos do Oriente Próximo e diretor do departamento de Estudos Mediterrâneos na Universidade Brandeis e uma autoridade nos tabletes descobertos em Ugarite, conclui da mesma forma: 'as **escavações em Ugarite têm revelado uma elevada cultura material e literária em Canaã antes do surgimento dos hebreus**. Prosa e poesia já estavam plenamente desenvolvidas. O sistema educacional era tão avançado que *dicionários em quatro línguas* haviam sido compilados para o uso dos escribas, e que as palavras eram listadas individualmente nos seus equivalentes ugarítico, babilônico, sumério e horeu. Os primórdios de Israel estão enraizados em uma Canaã altamente cultural para onde as contribuições de vários povos talentosos (incluindo os mesopotâmios, egípcios, e parte dos indo-europeus) haviam convergido e se misturado. A noção de que o início da religião e da sociedade israelitas era primitivo é completamente falsa. Canaã nos dias dos patriarcas era o centro de uma grande cultura internacional'".[1]

1 McDowell, Josh; op. cit.; p. 70.

171.

Você Viu Aquilo?

Talvez a maior evidência da precisão histórica do Novo Testamento, entretanto, é o fato de que houve **tantas testemunhas oculares** dos eventos ali registrados. Os apóstolos, em sua pregação, citavam que eles haviam sido testemunhas da ressurreição de Jesus (Atos 2.32). Disseram que sabiam que alguns outros também foram testemunhas do que Jesus disse e fez. Em Atos 2.22 está registrado: "Varões israelitas, atendei a estas palavras: Jesus, o Nazareno, varão aprovado por Deus diante de vós, com milagres, prodígios e sinais, os quais o próprio Deus realizou por intermédio dele entre vós, como vós mesmos sabeis". E aqueles que escreveram a Bíblia tomaram muito cuidado em assegurar que o que eles estavam dizendo era verdade. Lucas, por exemplo (1.1-3) observou: "Visto que muitos houve que empreenderam uma narração coordenada dos fatos que entre nós se realizaram, conforme nos transmitiram os que desde o princípio foram deles testemunhas oculares, e ministros da palavra, igualmente a mim me pareceu bem, depois de acurada investigação de tudo desde sua origem, dar-te por escrito, excelentíssimo Teófilo, uma exposição em ordem". Se os que registraram os fatos tivessem interpretado mal a história, ou tivessem cometido erros em seus registros, certamente haveria gente suficiente para tomar a iniciativa de discutir esses erros e corrigi-los. **Se alguém escrevesse um livro dizendo que John F. Kennedy foi morto por arco e flecha, ainda existem muitas testemunhas por aí que tomariam a iniciativa de colocar os fatos em ordem.**

172.

Testemunhas Hostis

É preciso lembrarmos que muitas das testemunhas dos eventos do Novo Testamento eram testemunhas hostis, que certamente não teriam tolerado nenhuma falta de precisão, especialmente se elas servissem para deixar durar uma religião que eles menosprezavam.

173.

Esta é a Verdade do Evangelho

Conclusões sobre a precisão bíblica podem ser traçadas pela comparação dos quatro evangelhos, Mateus, Marcos, Lucas e João.

Um estudo muito simples revela que os quatro evangelhos, especialmente os três primeiros, têm uma grande quantidade de informação em comum. Ainda que seus estilos de escrita sejam totalmente diferentes, demonstrando claramente que eles foram escritos por pessoas diferentes. Mas os detalhes e o fato de as evidências dadas em seus testemunhos se conformarem uns aos outros atesta a sua exatidão. Neste ínterim, é interessante notar que cada um destes homens forneceu um quadro coerente de Jesus Cristo como o Messias, o Filho de Deus.

174.

Este Sim é um Grande Feito

Não são apenas os quatro evangelhos no Novo Testamento que mostram uma unidade tão notável. A Bíblia como um todo é completamente coesa, uma incrível façanha, considerando-se que ela foi **escrita ao longo de cerca de 1.400 anos por um grupo heterogêneo de pessoas** de várias terras, *sem nenhuma contradição significativa.*

175.

Ainda a Mesma

Quando se considera a precisão do Novo Testamento, alguém poderia levar em conta a brincadeira de "telefone sem fio". Nessa brincadeira uma pessoa sussurra no ouvido de outra, que por sua vez sussurra a mensagem no ouvido de outra, e assim por diante. Qualquer pessoa que já tenha brincado disso sabe que, quando a mensagem retorna ao seu criador, ela está completamente alterada. Quase dois mil anos se passaram desde o tempo em que Jesus esteve na Terra, e até que Johann Gutenberg inventasse a prensa tipográfica, em 1450. Antes, a Bíblia era copiada manualmente, e as novas cópias eram feitas das outras cópias. Alguém poderia pensar que ao longo de todas estas duplicações, a Bíblia que nós lemos hoje seria completamente diferente do registro original dos eventos. Infelizmente, hoje em dia não existem manuscritos originais conhecidos do Novo Testamento. O mais velho fragmento do Novo Testamento é conhecido como o manuscrito John Rylands, e está datado em 130 d.C. Existem, entretanto, manuscritos bastante mais substanciais que datam de 300 d.C.. E existem milhares de outros manuscritos antigos, inteiros ou em partes. Através de incansáveis comparações dos vários registros, os eruditos da Bíblia têm sido capazes de concluir que, mesmo que existam algumas diferenças menores, tais como a palavra "e" ou "o" sendo adicionadas ou omitidas, nenhum erro que mude a verdadeira doutrina do Novo Testamento foi encontrado.

176.
Ei, Isso Não é Justo!

Outros escritos antigos, a partir dos quais baseamos atualmente muito da nossa história, têm muito poucas cópias existentes, através das quais podemos atestar sua exatidão. Existem, por exemplo, vários manuscritos de *Guerras Gálicas* de César, mas apenas cerca de dez delas são de alguma utilidade. Se os historiadores pretendem aceitar a precisão histórica desse escrito antigo, bem como de outros, com tão poucos manuscritos disponíveis para verificação, também deveriam estar dispostos a aceitar a exatidão histórica do Novo Testamento, especialmente quando milhares de exemplares, que não conflitam uns com os outros, estão à disposição para serem estudados e comparados.

177.
Novo Testamento Mais Atual

A mais antiga cópia substancial do Novo Testamento de que dispomos data por volta de 300 d.C. Isso é apenas 200 anos depois que o Novo Testamento foi completado, no final do primeiro século. **Não existe nenhum outro documento histórico dessa época disponível hoje, que tenha sido registrado e reproduzido, tão próximo da real ocorrência dos eventos narrados.** Citando novamente as *Guerras Gálicas* de César, por exemplo, a mais antiga cópia do relato delas disponível foi escrita cerca de 900 anos depois da vida de César. Outro exemplo são as peças teatrais de Sófocles. A mais antiga cópia utilizável dessa obra foi escrita 1.400 anos depois que Sófocles morreu.

178.
Documentos do Antigo Testamento Consistentes Com os do Novo

A Bíblia tem sido traduzida em muitos idiomas, ao longo dos anos. Ela já foi **traduzida em mais idiomas do que qualquer outro livro no mundo!** Certamente seria de se esperar que muitos erros de tradução fossem cometidos no processo. A mais antiga tradução disponível da Bíblia, para o latim e o siríaco, data de 150 d.C. Isso foi feito, conforme fica claro, no segundo século, um século depois do Novo Testamento ter sido completado no original grego. Entretanto, estudando as traduções, **os pesquisadores não descobriram nenhuma variação significativa** que mudasse a doutrina do Novo Testamento.

179.
Meu Reino Por Uma Máquina de Xerox!

Agora que já olhamos para o Novo Testamento, vamos mudar um pouco nosso olhar e fazer a pergunta óbvia: e quanto ao Antigo Testamento? Já que ele recua no tempo e na história até cerca de 4.000 anos antes de Cristo, argumenta-se que deve conter muitos erros históricos. Por causa de sua idade, não existem tantos manuscritos do início do Antigo Testamento quanto do Novo Testamento. E não existem cópias disponíveis, que tenham sido feitas logo depois da ocorrência dos eventos originais, como existem do Novo Testamento. Entretanto, isto não é motivo para se discutir a precisão do Antigo Testamento, como se poderia imaginar. Os judeus tomavam um grande cuidado para garantir que cada nova cópia do Antigo Testamento fosse feita sem erros. Eles tinham estabelecido intrincados sistemas para verificar o seu próprio trabalho, e quando completavam uma nova cópia eles ficavam tão convencidos de sua exatidão que davam a elas a mesma autoridade das antigas. Aliás, eles ficavam tão confiantes que, uma vez completadas as novas cópias, via de regra queimavam as cópias antigas, que haviam se tornado desgastadas com o uso.

180.
Poderia o Antigo Ser Mais Novo do Que o Novo?

Alguém afirmou que os livros proféticos do Antigo Testamento, tais como Isaías, foram na realidade escritos *depois* que os próprios eventos aconteceram. Em cerca de 700 a.C. Isaías profetizou que Ciro iria declarar que Jerusalém seria reconstruída e o alicerce do templo seria lançado (44.28). Lembre-se: quando Isaías escreveu isso, o templo de Salomão estava de pé e Jerusalém já era uma cidade agitada. Como, então, poderia Isaías ter sabido que os babilônios iriam destruir Jerusalém, demolir o templo, e que alguém chamado Ciro iria dar a ordem para que tanto o templo quanto Jerusalém fossem reconstruídos? Ou Isaías estava mostrando o futuro, ou este livro do Antigo Testamento havia sido alterado mais tarde para se encaixar aos eventos que aconteceram no futuro. Era difícil refutar a segunda opção antes da descoberta dos manuscritos do Mar Morto, nas cavernas de Qumran, em 1947. Os manuscritos do Mar Morto consistem de cerca de 40.000 fragmentos com inscrições, a partir dos quais os eruditos foram capazes de reunir 500 livros bíblicos. Mais importante ainda, seus **estudos dos manuscritos provaram conclusivamente que Isaías (e outros livros dos profetas), não foram alterados em datas posteriores para se encaixar nos eventos reais**.

181.
Uma Olhada Nos Detalhes

Espantosamente, estudos cuidadosos da cópia do Mar Morto do livro de Isaías, datada de 125 a.C., mostrou que todas as palavras naquele documento **se igualavam virtualmente palavra por palavra** com um documento de Isaías de 980 d.C., demonstrando assim, mais uma vez, a precisão com a qual os judeus faziam novas cópias, por um período de mil anos.

182.
Antigas Profecias Legitimadas

Outros antigos manuscritos foram descobertos, os quais confirmam ainda mais a autenticidade do Antigo Testamento. Nas colinas próximas de Wadi Muraba'at, por exemplo, foi descoberto um pergaminho datado de 700 a.C. Também foram descobertas porções de rolos de couro contendo trechos de Gênesis, Êxodo e Deuteronômio. Os vários manuscritos eram de datas anteriores ao início do cristianismo e **deram aos peritos em Bíblia a certeza de que as profecias do Antigo Testamento e as profecias acerca do Messias não foram alteradas depois que os eventos em si haviam acontecido.**

183.
Sem Tempo Para Histórias

Enquanto a precisão histórica da Bíblia tem sido provada sempre de novo, os críticos ainda têm problemas com algumas partes da Bíblia que aparentam não ser nada além de mitos. Tome, como exemplo, a história de Jonas e o grande peixe. O relato profético de Jonas é fornecido no livro bíblico que leva o seu nome. O relato histórico é dado em 2 Reis 14. Jesus, em Mateus 12, disse aos fariseus que a eles seria dado um sinal de que Ele era o Messias, tal como eles haviam pedido. Ele comparou Sua morte, sepultamento e ressurreição à história de Jonas estando no ventre de um grande peixe por três dias. Se Jesus sabia que a história de Jonas era uma fábula, por que Ele a compararia com o fato histórico de Sua própria morte e ressurreição? Ao comparar Sua morte e ressurreição, que são a pedra fundamental do cristianismo, a um mito, Ele não estaria fornecendo qualquer apoio às suas reivindicações proféticas de ser o Messias.

184.

Direto da Boca do Peixe

Foi encontrada evidência material para apoiar a existência de Jonas. Uma delas, o seu túmulo, foi encontrada ao norte de Israel. Além disso, foram encontradas antigas moedas, que trazem a imagem de um homem saindo da boca de um peixe.

185.

O Milagre Dos Milagres

Muitas pessoas têm dificuldade em aceitar algumas histórias da Bíblia, especialmente aquelas que requerem milagres. Mas, a partir da fidedignidade da Bíblia quanto a geografia, história e ciência, deveria considerar-se também com seriedade os relatos dos milagres. Os evangelhos, é claro, se concentram na vida de Jesus Cristo. Todos os autores dos evangelhos têm concordado em que Ele foi o Messias, o Filho de Deus. Por causa da Sua Divindade, é ridículo tentar compreender Seus muitos milagres somente através da ciência moderna. Por sua própria natureza, os milagres estão acima das leis naturais (ou não seriam milagres!). Se Jesus é verdadeiramente um ser divino, nós naturalmente poderíamos esperar que Ele fosse capaz de manifestar Seu poder divino através da realização de milagres.

186.

Não Importa Por Onde Você Olhe, Jesus Foi Real

Muitos podem se surpreender ao saber que nem todos os relatos e evidências dos milagres de Jesus vêm de fontes cristãs. O historiador judeu Flávio Josefo, por exemplo, fez menção das proezas miraculosas de Jesus em *Antigüidades* (xviii. 3. 3.). Ele menciona: "E por esta época apareceu Jesus, um homem sábio, *se de fato podemos chamá-lo de homem*; pois ele era um realizador de fabulosas proezas, um mestre de homens, os quais recebiam a verdade com prazer. Ele norteou muitos judeus, e também muitos dos gregos. *Aquele homem era o Cristo*. E quando Pilatos o condenou à cruz, devido à acusação por parte dos nossos líderes, aqueles que o amaram a princípio não cessaram de fazê-lo; *pois ele apareceu a eles no terceiro dia, novamente vivo, tendo os divinos profetas falado estas e milhares de outras maravilhosas coisas acerca dele*: e ainda agora a tribo dos cristãos, assim chamados por causa dele, não morreu". Alguns eruditos sugerem que as seções em itálico foram adicionadas mais tarde por cristãos que transmitiram o texto de Josefo, não os judeus. Todavia, o restante do texto comprova a existência histórica de Jesus e de Suas "proezas fabulosas".

187.

Escritos Antigos Confirmam um Jesus Histórico

Quando Jerusalém foi destruída no ano 70 d.C., a suprema corte chamada Sinédrio caiu junto com a cidade. Com o intuito de manter a espiritualidade judaica, um grupo de fariseus compilou um código religioso conhecido como o Mishnah. Ao longo dos anos, vários comentários, os Gemaras, foram desenvolvidos sobre o Mishnah. Juntos, eles são conhecidos como o Talmude. Existe pouca referência ao cristianismo no Talmude e aquilo que nós encontramos é, no mínimo, hostil. Mas, de acordo com os comentários dos antigos rabinos, existiu um Jesus de Nazaré que foi descrito como um transgressor em Israel porque, entre outras coisas, ele praticava a magia. Por suas transgressões ele foi executado na véspera da Páscoa. Portanto, novamente encontramos **fontes históricas não-cristãs comprovando o fato de que Jesus, de fato, realizou milagres**, ainda que essas fontes os atribuam à feitiçaria.

188.
Poderia a Ressurreição ter Sido uma Fraude?

O maior milagre relatado na Bíblia é o da ressurreição de Jesus Cristo. Esse evento miraculoso se constitui no alicerce do cristianismo. Ao longo dos anos, muitos têm tentado explicar a ressurreição. Uma teoria que tem sido sugerida para o túmulo vazio, depois da ressurreição de Cristo, é a possibilidade de que autoridades judias ou romanas, na realidade, teriam removido elas mesmas o corpo. Essa sugestão apenas levanta a questão do "Por quê?" E se eles o fizeram, por que não tomaram a iniciativa e revelaram o que haviam feito, apresentando testemunhas do fato? E por que não apresentaram o cadáver para provar que eles o tinham? Afinal, tratava-se da ressurreição de Cristo, que era o alicerce daquela nova seita que as autoridades judaicas e romanas teriam preferido aniquilar. **Se eles tivessem a prova de que a ressurreição era uma fraude, com certeza teriam se manifestado**.

189.
Jesus Diz "Não" às Drogas

Outros têm tentado justificar a ressurreição ao sugerir que Jesus tomou uma droga que fez com que Ele aparentasse estar morto quando, na realidade, ainda estava bem vivo. Mais tarde, Ele teria sido reanimado, dando a impressão de que havia ressuscitado. Mas, de acordo com Mateus 27:34, Jesus até mesmo se recusou a tomar uma droga que era comumente dada antes da crucificação para ajudar a aliviar a dor, de forma que essa sugestão parece altamente improvável.

190.

Seria a Cruz, de Fato, Mortal?

Existe, ainda, forte evidência para refutar as reivindicações de que Jesus não teria morrido numa cruz. Por sua própria natureza, a crucificação foi planejada para garantir a morte do prisioneiro. Jesus também foi severamente espancado antes da crucificação e estava tão exausto pelo castigo recebido que foi incapaz de carregar a cruz por Si mesmo. Os pregos que perfuraram Suas mãos (na verdade a área do pulso) e pés, certamente teriam perfurado nervos, causando uma dor excruciante e uma severa perda de sangue. Mas em última análise, a morte por crucificação significava morte por asfixia. A vítima tinha que tentar sustentar seu corpo para respirar. Todo o peso do corpo era colocado sobre os braços, que certamente teriam sido deslocados pela força. Jesus esteve na cruz desde a manhã até às três horas da tarde. Certamente tal tortura resultaria em morte, mesmo numa pessoa fisicamente mais em forma.

191.

Só Para Ter Certeza...

Como é que o centurião se certificou de que Jesus estava morto? A Bíblia nos conta que ele perfurou o lado de Jesus com uma lança, e saiu sangue e água. A água era, provavelmente, fluído que havia ou se acumulado entre a membrana e a parede do coração, ou entre o pulmão e a parede da cavidade torácica, ou de ambas. Mas quando essa água escorreu, o centurião sabia que Jesus estava morto.

192.
Força Mortal

Autoridades médicas que examinaram o relato da morte de Jesus afirmam que Ele teria que ter morrido na cruz. Tome como exemplo esta citação do *Journal of the American Medical Society (Revista da Sociedade Médica Americana)* (21 de março, 1986): "Claramente o peso das evidências histórica e médica indica que Jesus estava morto antes da ferida em seu lado ter sido infligida, o que sustenta a visão tradicional de que a lança, inserida entre suas costelas, no lado direito, provavelmente perfurou não apenas o pulmão direito, mas também o pericárdio e o coração e, dessa forma, assegurou sua morte. Portanto, **interpretações baseadas na pressuposição de que Jesus não morreu na cruz parecem conflitar com a ciência médica moderna**". (p. 1463)[1]

1 Ibid.

193.
Outra Confirmação

José de Arimatéia, um seguidor de Jesus, pediu seu corpo após a crucificação, para que pudesse enterrá-lo em seu túmulo. Pilatos reconfirmou que Jesus estava morto antes de liberar o corpo para José. E você pode ter certeza de que Pilatos queria se certificar que aquele 'criador de problemas' havia partido para sempre.

194.
O Roubo Impossível

Alguns tentam justificar a ressurreição sugerindo que os discípulos roubaram o corpo de Jesus do túmulo. Entretanto, havia soldados ali colocados exatamente para proteger contra tal possibilidade. Havia soldados romanos guardando o sepulcro 24 horas por dia, para se ter certeza de que nada aconteceria ao corpo. Havia, também, um selo romano colocado no túmulo. Os soldados romanos sabiam que se eles caíssem no sono, dando aos discípulos uma oportunidade para roubar o corpo, eles seriam condenados à morte. Obviamente, sob essas circunstâncias, os soldados tinham uma excelente motivação para permanecer acordados e para manter os olhos naquele túmulo. E **mesmo que tivessem sido tolos o suficiente para cair no sono em pleno trabalho, seria difícil imaginá-los dormindo com o tremendo barulho de uma pedra gigante sendo rolada da entrada do túmulo**.

Ainda existe o fato de que as roupas mortuárias que haviam envolvido o corpo de Cristo, e o pano que cobriu sua cabeça, foram abandonados, mas de uma maneira ordeira. Isto sugere que o corpo não foi roubado. Certamente ladrões de túmulos teriam levado o corpo com as roupas mortuárias, ou, pelo menos, atirado as mesmas a esmo, no chão. É difícil imaginá-los arriscando suas próprias vidas, tomando o tempo para deixar cuidadosamente tais roupas em ordem para que os guardas as encontrassem pela manhã. Parece muito mais provável que eles simplesmente as atirariam num canto qualquer e que correriam para salvar suas vidas.

195.

Surpresa!

O fato dos discípulos estarem tão surpresos ao verem Jesus após Sua ressurreição sugere fortemente que eles não estavam conspirando para roubar Seu corpo do túmulo. E eles nunca tinham realmente compreendido a ressurreição, quando Jesus tentou explicá-la a eles durante Seu ministério, antes de Sua morte.

196.
Notícias de Testemunhas Oculares

Outro fato-chave a ser levado em conta é o seleto número de pessoas que foram testemunhas oculares, que realmente viram Cristo depois de Sua ressurreição. Em 1 Coríntios 15.5-6 o apóstolo Paulo disse que **Cristo foi primeiramente visto por Pedro [Cefas], então pelos doze apóstolos, e então por 500 irmãos!** Paulo acrescentou ainda que alguns daqueles 500 irmãos ainda estavam vivos durante o tempo de sua pregação. Caso a ressurreição tivesse sido uma fraude, pelo menos uma ou duas daquelas pessoas teriam tomado a iniciativa de esclarecer as coisas.

197.
Ver É Crer

Outra prova da verdadeira identidade de Cristo é Saulo de Tarso, que mais tarde ficou conhecido como o apóstolo Paulo. Saulo era um grande rabi, que odiava e perseguia os cristãos. Seu zelo contra os cristãos era tão grande que ele os lançava na prisão, chegando, mesmo, a levar muitos deles à morte. **Quem sabia melhor do que Paulo o que poderia acontecer a alguém que se tornasse um cristão? E ainda assim ele mesmo escolheu se tornar um deles!**
Por que Saulo de Tarso decidiu tornar-se um cristão? Ele forneceu seu motivo. Ele disse que encontrou o Jesus Cristo ressurreto quando estava na estrada para Damasco. Mas como é que podemos saber que ele não estava apenas tendo algum tipo de alucinação que sinceramente acreditasse ser verdade? Bem, a Bíblia nos dá a prova. No capítulo 1 de Gálatas, Paulo nos conta que ele foi feito um apóstolo, não por intermédio de homem algum, mas "por Jesus Cristo" (versículo 1). Quanto aos ensinos de Cristo ele disse: "porque eu não o recebi, nem o aprendi de homem algum,

mas mediante revelação de Jesus Cristo" (versículo 12). Paulo até nos conta que, quando se tornou um cristão, ele não foi se encontrar com os apóstolos em Jerusalém, mas foi para a Arábia e então retornou para Damasco. Não foram senão três anos mais tarde que ele finalmente foi para Jerusalém, onde conheceu o apóstolo Pedro. A essa altura, Paulo havia se tornado autoridade tal no evangelho cristão que chegou até mesmo a apontar, conforme as Escrituras, alguns erros que Pedro estava cometendo (Gálatas 2.14). Os outros cristãos presentes tiveram que concordar que Paulo estava certo e o apóstolo Paulo, que aprendeu o evangelho pela revelação de Jesus Cristo, acabou escrevendo a maior parte do Novo Testamento.

198.

De Covardes a Heróis?

Outra convincente evidência de que esses eventos não foram uma fraude pode ser encontrada nas próprias ações dos discípulos. **Aqueles homens eram, para todos os efeitos, desconfiados e covardes**. Eles viraram as costas e fugiram do Jardim do Getsêmani quando Jesus foi preso. Pedro negou seu Senhor três vezes diante do perigo que o ameaçava. E, ainda assim, alguma coisa aconteceu àqueles homens que "transtornaram o mundo" (Atos 17.6). Eles viveram em pobreza, sofreram muitas provações, e todos menos João, tiveram mortes cruéis. Pedro foi crucificado de cabeça para baixo, a seu próprio pedido, por que ele disse que não era digno de morrer da mesma maneira que seu Senhor havia morrido. André, irmão de Pedro, foi crucificado. Felipe foi apedrejado e crucificado. Bartolomeu foi esfolado vivo. Tomé foi morto com uma lança perto de Madras, Índia. Mateus foi morto durante uma jornada missionária no Egito. Tiago foi crucificado. Judas foi morto na Pérsia. Simão foi crucificado. Matias foi martirizado na Etiópia. E João, após ter sido exilado na ilha de Patmos, foi solto e morreu de morte natural. **Se a Bíblia e os relatos de Jesus Cristo e Sua divindade foram uma fraude, por que estes homens enfrentaram tais coisas?** O que eles tinham a ganhar?

199.

Motivo?

E quanto ao próprio Jesus Cristo? O que Ele tinha a ganhar? Ele não recebeu nenhuma grande riqueza ou posse deste mundo por forjar tal fraude a seu próprio respeito. De fato, se tudo aquilo não passou de mentira, tudo o que Ele conseguiu obter para Si mesmo foi uma morte horrível e prematura.

Conclusão

Conclusão da Parte 1

A criação do universo e da vida na Terra foram eventos simultâneos. Jamais será provado pela ciência, como estes eventos aconteceram exatamente. Temos demonstrado que o criacionismo não deve ser rapidamente descartado como simples mito religioso e, a despeito do que muitas pessoas acreditam hoje, nunca foi provado que o relato da criação de Gênesis contradiz as verdades científicas que nós conhecemos hoje. Também sentimos que fornecemos evidência suficiente para provar que a popular e amplamente aceita teoria da evolução é simplesmente isso, uma teoria. Não é fato científico, mas ainda assim é amplamente aceita como verdade, sem provas fatuais que a sustentem. O fato é que existe muita evidência científica que pode ser usada para se argumentar contra a teoria da evolução. E, quando se vai ao cerne da questão, uma vez examinada a evidência científica, a crença na teoria da evolução requer tanta fé quanto o criacionismo, se não mais.

Será que o universo e a Terra são tão velhos quanto os cientistas e os evolucionistas nos dizem? Nós temos demonstrado que os métodos tradicionais de datar o universo e a Terra não são tão infalíveis quanto somos levados a acreditar. Além do mais, a possibilidade de que a Terra seja de fato muito jovem pode ser apoiada à luz de outros dados. O homem veio de uma longa linhagem de primatas, através de desenvolvimentos ao acaso, ao longo de muitos anos? Também não há evidência científica para apoiar essa teoria. Mas acima de tudo, nós acreditamos ter provido evidência suficiente de que o universo e a vida na Terra foram criadas por um projetista. **Essa evidência sugere que nós e nosso universo não surgimos simplesmente ao acaso!**

Parte 2

Profecias Surpreendentes

Introdução

Introdução à Parte 2

Se este universo teve um projetista inteligente, como todas as evidências sugerem, então as implicações são enormes. Isto significa que existe alguém ou alguma coisa maior do que nós lá em cima!

Nós também temos visto como a Bíblia contém informações que os escritores não podiam conhecer na época em que viveram. Portanto, é um livro notável, com certeza, **mas será que ele é uma mensagem de Deus?**

Bem, se é, você certamente haveria de pensar que Deus teria incluído uma forma de poder autenticar Sua mensagem. Em outras palavras, você haveria de pensar que Aquele que nos criou com mentes perspicazes, curiosas e inquisitivas, haveria de esperar que nós as usássemos à medida em que procurássemos nos certificar de que a Bíblia é, de fato, uma mensagem dEle.

De acordo com a Bíblia, essa prova pode ser encontrada em suas muitas passagens proféticas. Cerca de um quarto da Bíblia é composto de profecias – eventos preditos antes que eles acontecessem! Nenhum outro livro religioso no mundo sequer tenta predizer o futuro. Assim, a Bíblia provê profecias claras, detalhadas e espantosas sobre o futuro e o fim do mundo, como nós o conhecemos. Se essas profecias são, de fato, precisas, então existe prova positiva de que esse livro trata de um plano muito além da nossa compreensão.

Para dar uma idéia do que estamos falando, gostaríamos que você parasse um momento para fazer algo que nós chamamos de 'teste de profeta'. Feche seus olhos por um momento e pressuponha que nosso mundo ainda estará por aqui por pelo menos 2.000 anos ou mais. Agora tente projetar o que o mundo será após esses dois mil anos!

Não dá, não é mesmo? Se você é como a maioria das pessoas, você apenas projeta um vazio. Por que? Porque você não tem um modelo ou mesmo uma referência para sequer começar a imaginar esse mundo. Você sabe que ele não será nada parecido com o de hoje, mas não tem qualquer idéia de como ele será.

Agora vamos inverter isso por um momento. Vamos imaginar uma pessoa sentada numa casa de pedra, no Oriente Médio, há 3.000 anos. O mundo dela consistia basicamente de ovelhas, ferramentas de pedra e poços de água. Como alguém daquele tempo e com aquela moldura de referência poderia ter sequer imaginado nosso mundo?

Com todo o conhecimento científico dos dias modernos, nós não somos sequer capazes de explicar como uma coisa dessas pode ser possível. E em nenhum lugar do mundo algum livro contém profecias detalhadas como as da Bíblia.

Lembre-se: Deus diz que Ele irá provar que a Bíblia é uma mensagem dEle pelo fato de que Ele pode nos contar a história antes que ela aconteça (Isaías 46.9-11). Portanto, vamos começar com o nosso mundo de hoje. É seguro dizer que existem mais profecias sobre os dias em que você e eu vivemos do que sobre qualquer outro período na história humana! Nós, por isso, temos uma oportunidade de julgar a exatidão dessas profecias que se estendem por milhares de anos.

Por fim, existe mais uma coisa que precisamos mencionar. **Se essas profecias estão, mesmo, sendo cumpridas bem diante de nossos olhos, então a mensagem que elas contém é de atordoar: Nós estamos vivendo nos últimos dias antes da Segunda Vinda de Jesus Cristo a esta Terra!**

Vamos começar com o evento exato que a Bíblia aponta como o começo da contagem regressiva dos últimos dias...

Profecias Sobre Israel

200.

Eles Estão de Volta!

A data foi 14 de maio. O ano foi 1948. Haviam se passado quase dezenove séculos desde que as tropas de Tito arrasaram Jerusalém. Às quatro horas daquela tarde, David Ben Gurion entrou no museu de Tel Aviv e fez uma declaração ao mundo: **"Hoje nasceu uma nação judaica e seu nome é Israel."** Foi um evento surpreendente. Ainda mais surpreendente, entretanto, foi o fato de que este dia havia sido profetizado por todo o Antigo Testamento. O profeta Ezequiel escreveu que **"Depois de muitos dias, serás visitado; no fim dos anos virás à terra que se recuperou da espada, ao povo que se congregou dentre muitos povos sobre os montes de Israel que sempre estavam desolados; este povo foi tirado de entre os povos...".**[1] Isaías disse praticamente a mesma coisa, "Naquele dia, o Senhor tornará a estender a mão para resgatar o restante do seu povo, que for deixado... ajuntará os desterrados de Israel, e os dispersos de Judá recolherá desde os quatro confins da Terra".[2]

1 Ezequiel 38:8
2 Isaías 11:11-12

201.

A Última Dança

É importante frisar que **a Bíblia também disse que quando os judeus retornassem à sua terra, isso seria o sinal de que teríamos entrado na geração final da história como nós a conhecemos.** Ezequiel, em sua visão, viu que a época para este reajuntamento estava no "fim dos anos"[1]. Mas foi o próprio Jesus quem expôs a época mais claramente. Utilizando-se do simbolismo comum de Israel como uma figueira, Ele descreveu o tempo no qual a nação renascida iria emergir de um longo inverno e estender suas folhas. "Aprendei, pois, a parábola da figueira: quando já os seus ramos se renovam e as folhas brotam, sabeis que está próximo o verão... Assim também, quando virdes acontecer estas coisas, sabei que está próximo o reino de Deus".[2]

1 Ezequiel 38:8
2 Mateus 24:32; Lucas 21.31

202.

Oh, Jerusalém!

Deus não apenas nos contou que Israel seria reunido em sua própria terra nos últimos dias. Ele também deixou especificamente claro que após anos de dominação de potências estrangeiras, Israel iria mais uma vez possuir Jerusalém como sua capital. E, aliás, estes são dois eventos separados. **Mesmo tendo-se tornado uma nação em 1948, Israel não obteve o controle total de Jerusalém até a Guerra dos Seis Dias em 1967**. Em Zacarias 12:6, Deus prometeu que "Naquele dia... Jerusalém será habitada outra vez no seu próprio lugar, em Jerusalém mesma". O próprio Jesus, predizendo a vindoura destruição de Jerusalém, alertou: "Cairão a fio de espada e serão levados cativos para todas as nações; e, **até que os tempos dos gentios se completem, Jerusalém será pisada por eles**". Como pudemos ver, os tempos dos gentios duraram até junho de 1967!

203.

Que Desperdício!

Ezequiel 38.8 diz que nos últimos dias os judeus seriam ajuntados na terra prometida, depois que esta tivesse *sido desolada* por muitos anos. **Em 1697, Henry Maundrell, escrevendo sobre a Terra Santa, disse que não há "nada aqui a não ser** uma vasta e ampla ruína". Em 1738 o arqueólogo inglês Thomas Saw disse que ela era "esterilidade e escassez". Em 1765, Constantine Francois Volney usou palavras como "arruinada" e "desolada" para descrever a Terra Santa. Em 1867, Mark Twain escreveu, após sua visita à "Palestina", que ao longo do Vale de Jezreel "não existe uma só vila ao longo de toda a sua extensão... Existem dois ou três pequenos aglomerados de tendas de beduínos, mas nenhuma habitação permanente" (*The Inocents Abroad – Os Inocentes no Exterior*). Da Galiléia ele disse que era "um deserto despovoado" e "uma áspera colina de esterilidade". Os mesmos tipos de descrições foram dadas para a Judéia, Belém e Jerusalém. E mesmo em 1948, quando os judeus começaram a retornar a Israel, ela era um pedaço arruinado e infrutífero de deserto.

204.

O Judeu Errante

Uma retrospectiva da história de Israel e das profecias a ele relacionadas é uma das mais esmagadoras provas de que o Deus da Bíblia é, de fato, quem Ele diz ser. Após os israelitas terem sido libertos da escravidão do Egito, Deus escolheu Moisés para liderá-los rumo à Terra Prometida. Mas os advertiu que, se não obedecessem Seus mandamentos, Ele os removeria de sua terra. Ele também foi muito específico ao dizer que eles seriam, por fim, dispersos em cada nação da Terra: **"O SENHOR vos espalhará entre todos os povos, de uma até à outra extremidade da terra"**[1]. Isto aconteceu? Sim, aconteceu. Os israelitas desobedeceram a Deus, e Ele, fiel à Sua palavra, permitiu que eles fossem levados cativos para a Babilônia. Desde o cativeiro babilônico, há cerca de 2.500 anos, os judeus têm estado dispersos pelas nações ao redor do mundo. Apesar disso, durante todos esses anos eles nunca perderam sua identidade e nós todos sabemos que hoje em dia **a expressão "o judeu errante" já se tornou um chavão.**

1 Deuteronômio 28:64

205.

Bodes Expiatórios Para o Mundo

Deus também advertiu os israelitas, em seu retorno do cativeiro egípcio, de que, se eles O desobedecessem, Ele iria fazer deles "pasmo, provérbio e motejo entre todos os povos a que o SENHOR te levará... Nem ainda entre estas nações descansarás, nem a planta de teu pé terá repouso; porquanto o SENHOR ali dará coração tremente, olhos mortiços e desmaio de alma. A tua vida estará suspensa como por um fio diante de ti; terás pavor de noite e de dia, e não crerás na tua vida".[1] **Talvez nenhum outro povo na história tenha sido tão odiado e perseguido como os judeus. Ainda hoje nós ouvimos rumores de assim chamadas conspirações judias para controlar os bancos, a imprensa e o mundo.** Os judeus têm freqüentemente sido culpados pela disseminação de pragas e doenças. Eles foram expulsos de nações muitas vezes. Existiram os *pogrom* russos [ataques organizados às minorias étnicas, especialmente os judeus], e a despropriação de bens pelos mouros da Espanha. Eles foram perseguidos como hereges durante a Inquisição. Mas talvez a maior manifestação do cumprimento desta profecia tenha sido o holocausto nazista, durante o qual 6 milhões de judeus foram assassinados simplesmente por serem judeus. E foi no fim do holocausto que muitos judeus foram inspirados, num desespero pela sobrevivência, a voltar para a terra de Israel. Atualmente em muitas nações o anti-semitismo ainda está crescendo.

1 Deuteronômio 28:37; 65-66

206.

Contra Todas as Dificuldades

Qualquer analista militar no mundo hoje irá dizer a você que a sobrevivência de Israel, desde seu renascimento em 1948, é nada menos que um milagre. O profeta Ezequiel previu que Deus iria, de fato, realizar milagres para manter Seu povo reagrupado, seguro. Falando a um inimigo de Israel dos últimos dias, Deus disse: "quando o meu povo de Israel habitar seguro, não o saberás tu?"[1] Ezequiel prevê que "todos eles habitarão seguramente".[2] Quando Israel se tornou uma nação em maio de 1948, foi imediatamente atacado pelos vizinhos inimigos árabes, que haviam sido fortemente armados pelo poderio militar da União Soviética. Israel ainda não completara sequer um dia como nação quando veio o primeiro ataque. Mas, inacreditavelmente, Israel venceu, e até mesmo expandiu suas fronteiras! **Israel viria a sobreviver a mais três pesados ataques nos anos seguintes a despeito de estar, nos três casos, inferiorizado numericamente quanto a tanques, tropas, e aviões de ataque.** Na Guerra dos Seis Dias em 1967, por exemplo, a taxa da artilharia árabe era de cinco contra um a favor dos árabes, a dos aviões 2,4 contra um, e a de tanques 2,3 contra um. Apesar disso, foi Israel quem venceu a guerra e reconquistou Jerusalém Oriental e a Margem Ocidental. Até os dias de hoje, o poderio militar de Israel é amplamente respeitado como um dos melhores da Terra. Mas, se os profetas estão certos, eles têm um aliado invisível.

1 Ezequiel 38:14
2 Ezequiel 38:8

207.
Jerusalém: Uma Pedra Pesada Para Todos os Povos

O profeta Zacarias profetizou que nos últimos dias, Jerusalém iria se tornar "um cálice de tontear para todos os povos em redor" e "uma pedra pesada para todos os povos".[1] Israel declarou que agora sua capital é a cidade de Jerusalém – uma Jerusalém unificada. Entretanto, 90% das nações no mundo ainda se recusam a reconhecer Jerusalém como a capital de Israel. Embaixadas internacionais em Israel tiveram que ser sediadas em Tel Aviv. Hoje, uma das maiores pedras de tropeço no processo de paz do Oriente Médio está centrada em Jerusalém. Os palestinos querem que Jerusalém Oriental seja a capital de um Estado palestino, mas os judeus têm se recusado a permitir que a cidade seja dividida novamente. Hoje, a comunidade internacional está pressionando fortemente Israel para permitir que Jerusalém seja colocada "sobre a mesa (de negociações)" para o bem do processo de paz. Fica claro que Jerusalém é uma pedra de tropeço à paz... exatamente como foi profetizado.

1 Zacarias 12:2-3

208.

A Morte e o Nascimento do Hebraico

Há cerca de 2.000 anos a antiga língua hebraica foi perdida. Mesmo durante os tempos de Jesus, os judeus falavam o *koine*, a lingua grega comum naqueles dias. A exceção estava na adoração no templo, onde os sacerdotes judeus usavam cerca de 7.000 antigas palavras hebraicas em suas atividades. À medida que o tempo foi passando, o povo judeu passou a falar a língua das nações nas quais eles haviam estabelecido seus lares. Mas em nossa época, um judeu chamado **Eliazar Ben Yehuda, que estava vivendo na Palestina, decidiu empreender a tarefa de reviver a língua hebraica. Ele recuperou as 7.000 palavras que eram usadas na antiga Israel pelos sacerdotes do templo judaico. Foram criadas novas palavras hebraicas para a tecnologia moderna, como a referente a carros, aviões e computadores, e hoje o hebraico é a língua nacional falada em Israel.** Esse feito é o cumprimento da profecia proferida por Sofonias em que Deus disse: "darei lábios puros [ou, uma linguagem pura] aos povos, para que todos invoquem o nome do SENHOR, e o sirvam de comum acordo".[1] É claro, muitos judeus hoje não são religiosos. Ainda assim, sua língua pura *tem sido recuperada* para o dia em que eles haverão de reconhecer seu Deus e clamar pelo Seu nome.

1 Sofonias 3:9

209.
Tudo Certo Para a Adoração no Templo!

O profeta Daniel anteviu que durante os últimos dias, no período do anticristo, os judeus teriam reestabelecido a adoração no templo. Entretanto, os judeus não têm seu templo em Jerusalém desde 70 d.C. Mesmo com a recuperação do Monte do Templo em 1967, os judeus não têm conseguido reconstruir o templo, por que permitiram aos árabes manter o controle do local. **Bem no lugar onde o templo seria erigido estão o Domo da Rocha e a Mesquita de Omar, dois dos lugares mais santos do islã.** A despeito do fato de que os judeus não têm um templo hoje, muitas organizações religiosas judaicas têm feito preparativos para esse futuro templo. Um grupo já preparou um **modelo** e **o projeto**. Outro grupo, usando as instruções encontradas na Bíblia, está **preparando os utensílios precisos** que serão necessários aos rituais do templo. Outro vem **treinando sacerdotes levitas**. Mesmo que o templo ainda não esteja no lugar, existem muitos grupos prontos para agarrar a oportunidade no momento em que ela aparecer.

210.
O Último Templo já Era!

O último templo judaico, conhecido como o Templo de Herodes, foi destruído em 70 d.C. por Tito e pelos exércitos romanos. Esses exércitos desmontaram o templo, pedra por pedra, procurando por ouro que eles acreditavam estivesse escondido entre as pedras. Eles demoliram o templo tão completamente que hoje os arqueólogos nem mesmo sabem exatamente onde ele se localizava. Quando os discípulos perguntaram a Jesus sobre o templo Ele respondeu: "Em verdade vos digo que não ficará aqui pedra sobre pedra que não seja derribada".[1]

1 Mateus 24:2

211.

Terra Por Paz – um Acordo do Inferno?

Embora isso ainda não tenha se cumprido, a Bíblia profetiza que nos últimos dias a nação de Israel irá entrar num acordo de paz com o grande enganador que ela chama de Anticristo. A partir desse acordo, segundo a Bíblia, esse líder "lhes repartirá a terra (Israel) por prêmio".[1] É muito interessante que **o cerne do atual processo de paz do Oriente Médio está centrado sobre acordos que negociam 'terra em troca de paz'**. Embora ainda esteja para ser cumprida, é digno de registro que esta profecia feita há 2500 anos nos descreva as questões exatas que estarão sendo negociadas.

1 Daniel 11:39

A Invasão Russa De Israel

212.

O Urso Polar

O profeta Ezequiel disse que quando Israel estivesse de volta à sua terra, nos últimos dias, ela seria invadida por uma confederação de nações liderada por uma grande potência militar 'das bandas do norte'.[1] **Se você observar um mapa e traçar uma linha de Israel até o Pólo Norte, o país mais ao norte é a Rússia. A linha praticamente atravessa Moscou!** Hoje a Rússia é uma nação em perigo. Sua economia está deteriorada, e os conflitos internos constituem a ordem do dia. Uma coisa, entretanto, é certa... seu poderio militar ainda é um dos maiores do mundo. Ela é uma forte potência nuclear. Está claro que Ezequiel estava falando da Rússia quando previu uma grande potência militar que estaria ao norte de Israel quando esta nação fosse reunida em sua terra.

1 Ezequiel 38:6,15; 39:2

213.

Surpresa!

De acordo com os profetas, o mundo irá ficar chocado quando Israel for invadido por uma grande potência militar, nos últimos dias. De acordo com Ezequiel, as assustadas nações nem mesmo saberão por que a Rússia terá liderado uma invasão assim.[1] Há alguns anos, ninguém teria ficado surpreso se os exércitos russos se movimentassem para qualquer lugar. Na época isso era comum. Eles encabeçavam um império mundial, possuidor de temidas forças armadas. Mas **hoje o mundo acredita que a Rússia já desistiu de suas metas expansionistas**. De fato, seria seguro dizer que tal invasão pegaria o mundo totalmente desprevenido. Apesar de tudo, seu poderio militar ainda existe. **A marinha russa é quatro vezes maior que a frota norte-americana; ela possui 3 vezes o número de submarinos, dez vezes o número de tanques e veículos pessoais armados, e uma tropa duas vezes maior!**

1 Ezequiel 38:13

214.

Com Quem Ela Anda

De acordo com Ezequiel 38:6, essa grande potência do norte terá muitos aliados em sua força de invasão. Estudando a genealogia das nações listadas por Ezequiel, é um processo fácil compará-las às nações que existem hoje. A lista inclui **Rússia, Turquia, Irã, Líbia e Sudão**. Uma agência de inteligência internacional sediada no Reino Unido teve este recente vislumbre no quebra-cabeças do Oriente Médio: "É largamente aceito que o Irã se opõe intransigentemente às negociações de paz entre os árabes e Israel, mas isto é uma compreensão falha da posição daquele país. O Irã está feliz em ver Israel sendo forçado a renegociações territoriais, particularmente se isto significa o retorno das colinas de Golan à **Síria**, aliada de Teerã. A campanha terrorista não está objetivando interromper o processo de paz, mas sim colocar o máximo de pressão para que Israel se comprometa com a Síria... Um regime islâmico pró-iraniano já se encontra no poder no **Sudão**, a **Líbia** está decidamente numa campanha anti-Israel, e o Egito e a Argélia se encontram debaixo de sérias ameaças de rebeliões islâmicas. Ao norte e leste de Israel, a situação não é muito melhor. A Síria e seu protetorado libanês são aliados próximos do Irã... Até mesmo a ostensivamente pró-ocidental **Turquia** está se aproximando, numa tentativa de facilitar suas atividades econômicas na Ásia Central, para quem o Irã faz 'o meio de campo'... A parte final da coalizão anti-Israel construída pelo Irã é a **Rússia**. Pouco se tem falado sobre a atividade russa no

Oriente Médio desde o fim da Guerra Fria, mas o Irã tem sido muito cuidadoso em nutrir relações com Moscou".

215.

A Rússia é a Líder do Bando

Na descrição da grande força invasora, o profeta Ezequiel diz a essa grande nação ao extremo norte de Israel: "Prepara-te, sim, dispõe-te, tu e toda a multidão do teu povo que se reuniu a ti, e serve-lhe de guarda".[1] Não restam dúvidas de que, se você olhar para o grupo de nações alistadas nessa força invasora, a Rússia é a líder militar do bando. Foi também ela quem deu a essas nações o poderio militar que elas possuem atualmente.

1 Ezequiel 38:7

216.

O Retorno Dos Judeus Russos

Já mencionamos anteriormente que Deus prometeu aos judeus que nos últimos dias Ele os tiraria das nações do mundo e os traria de volta para sua própria terra. O profeta Jeremias disse especificamente que um dos lugares dos quais o Senhor iria reagrupá-los seria "da terra do Norte".[1] Imediatamente após a queda da cortina de ferro, muitos judeus que haviam sido apanhados na armadilha da ex-União Soviética começaram a se mudar, num êxodo em massa. A maioria se dirigiu para a terra de Israel. **Até hoje, Israel continua a enviar aviões para a ex-União Soviética com regularidade, para que tragam de volta judeus que estão agora, pela primeira vez em décadas, livres para partir**.

1 Jeremias 16:15

217.

Deixa Meu Povo ir

É possível que o motivo da Rússia para atacar Israel seja seu próprio arrependimento quanto à liberação dos judeus. Desde o êxodo em massa dos judeus da ex-União Soviética, o anti-semitismo tem crescido assustadoramente naquele país. Existem rumores de conspiração bastante disseminados, que culpam os judeus pelos problemas atuais da Rússia. Alimentado por uma jornada extremamente lenta e difícil em direção à democracia e ao capitalismo, uma nova onda de anti-semitismo tem surgido naquela terra. **O ultra-nacionalista Vladimir Zhirinovsky resumiu a situação dizendo: "Não existe um judeu pobre na Rússia... enquanto as pessoas mais pobres na Rússia são russos".** E hoje em dia, a versão russa do "Mein Kampf" de Adolf Hitler e ítens exibindo suásticas encontram-se entre os produtos mais procurados junto aos vendedores ambulantes da Rússia.

218.

A Grama Parece Muito Mais Verde do Outro Lado

Na primavera de 1995, uma explosão numa das tubulações russas de gás natural chamou a atenção para o péssimo estado de seus mais de 480.000 quilômetros de tubulações de petróleo. Relatórios do governo russo disseram que ocorrem cerca de 700 vazamentos significativos por ano. Com o degelo da primavera no mesmo ano, os russos começaram a sentir os efeitos do derramamento de 100.000 toneladas de óleo em Usinsk. De acordo com um artigo do *Toronto Star*, o derramamento de óleo "contaminou uma área aproximadamente igual a de 70 campos de futebol. Ela inclui seis córregos principais e dezenas de riachos menores... A extensão dos danos do último vazamento de Usinsk só pode ser comparado à dos campos de petróleo saqueados e incendiados no Kuwait". Como se isso não fosse o bastante, a colheita de grãos em 1995 foi a pior da

Rússia nos últimos 30 anos. **Com derramamentos de óleo arruinando os mananciais de água para as pessoas e para o gado, e com a colheita de grãos decrescendo, a disposição dos desfavorecidos está começando a se transformar em ódio e inveja daqueles que têm.** Mais do que isso, o gigante militar russo está apenas esperando para ser despertado. Aliás, Ezequiel disse que a Rússia se moveria em direção ao Oriente Médio "para tomar o despojo" dos bens.[1] Hoje em dia não se pode negar que exista tanto a necessidade quanto o poder para tentar esta conquista.

1 Ezequiel 38:13

219.
Traços de Alfred Hitchcock?

Deus diz que irá destruir este exército do norte, em ajuda a Israel. Ele diz a "Gogue": "Nos montes de Israel, cairás, tu, e todas as tuas tropas, e os povos que estão contigo; **a toda espécie de aves de rapina e aos animais do campo eu te darei, para que te devorem**".[1] Interessantemente, Israel é a capital do mundo quando se trata de migrações primaveris de grandes aves. De acordo com uma revista popular de estudiosos de aves, o Dr. Reuven Yosef e um parceiro foram a Eilat, Israel, onde **observaram dezenas de milhares de abutres da planície* saindo de Israel e rumando para a Europa e para a Ásia.** Outras grandes aves que eles observaram foram papagaios negros, águias marinhas e águias da estepe*. De acordo com o Dr. Yosef (*Wildbird*; Fev. 1995), "durante a primavera, cerca de *dois milhões* de aves atravessam Israel em revoada, a caminho de suas regiões de aninhamento... Durante a primavera de 1994, a equipe e os voluntários do International Birdwatching Center (o IBCE) [Centro Internacional de Observação de Aves] em Eilat registraram um total de *1.022.084 aves de rapina* compreendendo 29 espécies... creio que uma média de *11.110 aves de rapina foram contados a cada dia!*" Yosef continua: "O segredo para desfrutar a observação das aves de rapina é saber o momento e o lugar apropriados para se visitar. **Na minha opinião, o melhor lu-**

gar no mundo para se ver um grande número de aves de rapina durante a migração da primavera é Eilat, [Israel]..." [ênfase adicionada]

1 Ezequiel 39:4

* [N.R.] "Estepe" é nome da planície árida da Rússia, de onde tais pássaros são originários.

Profecias "High-Tech"

220.
Eles Estão Mortos, Capitão

Uma das mais inacreditáveis coisas a respeito da Bíblia é o fato de que ela contém várias profecias estonteantes que não poderiam ter se cumprido em nenhum momento da história – até agora! Por exemplo, em Mateus 24, Jesus estava falando sobre o momento em que Ele retornaria à Terra. **Algo que Ele disse foi que se Ele não voltasse no momento exato "ninguém seria salvo".** Como tal profecia poderia ter sido possível em qualquer outro momento da história? Certamente o poder de destruir toda a vida humana na Terra é um desenvolvimento bastante recente. Os arcos e as flechas, ou mesmo os mosquetes e os canhões de antigamente não poderiam ser capazes de cumprir tal profecia. Mas hoje tudo isso mudou. Com o desenvolvimento de armas nucleares, químicas e biológicas, a possibilidade de auto-aniquilação é, pela primeira vez na história, não apenas uma possibilidade, mas também uma séria preocupação.

221.
Dos Irmãos Wright ao Ônibus Espacial...

O profeta Daniel, escrevendo acerca da antiga Babilônia há mais de 2.500 anos, disse que uma das características-chave para distinguir os últimos dias seria que "o saber se multiplicará". É claro, o conhecimento tem aumentado a cada geração, mas Daniel estava se referindo ao fato de que **haveria algo de especial acerca do desenvolvimento do conhecimento nesta geração final** – a geração que viu Israel retornar à sua terra. Fica bastante óbvio o quão notável é essa profecia. Se você fosse capaz de viajar no tempo – digamos de 75 a.C. a 1.300 d.C. – não teria visto muitas mudanças significativas. Você poderia ter facilmente se adaptado às pequenas mudanças que tinham acontecido. **Cada geração foi apenas ligeiramente mais "sabida" que a anterior a ela. Isso tem sido característica de cada geração, exceto a nossa**. Em apenas cem anos, testemunhamos um tremendo aumento do conhecimento. Em 1876 Alexander Graham Bell patenteou o telefone. Essa invenção revolucionou o mundo das comunicações. Em 1885 Daimler e Benz desenvolveram o protótipo dos atuais motores a gasolina. Em 1903 George e Orville Wright fizeram voar na prática o primeiro avião. Em 1926 a televisão veio ao mundo. Em 1928 a penicilina foi descoberta por Fleming. Em 1943 foi montado o primeiro computador, abrindo o caminho para uma inacreditável revolução na tecnologia da informação. 1945 foi o ano em que a bomba atômica foi lançada sobre Hiroshima. Em 1953 a molécula de DNA foi mapeada. Em 1957 a Rússia lançou o primeiro satélite ao espaço. Em 1969 Neil Armstrong se tornou o primeiro homem a andar na Lua. Em 1982 nasceu a engenharia genética, sendo seu primeiro produto a insulina humana a partir de bactérias. Nós testemunhamos o advento de comunicações sem fios, bebês de proveta, sofisticadas armas como bombas "inteligentes", e muito, muito mais. **Nenhuma outra geração na história humana viu uma expansão do conhecimento como a nossa! E hoje em dia, com nosso acúmulo de conhecimento dobrando a cada 24 meses, o ritmo continua a crescer**.

222.

A Marca "Inteligente"

A Bíblia nos conta que nos últimos dias o anticristo irá governar sobre uma economia globalizada. Mas os detalhes que nos são dados acerca dessa economia parecem saídos direto do último filme de ficção científica. O apóstolo João nos conta que todas as pessoas na Terra terão que receber "certa marca sobre a mão direita ou sobre a fronte, para que ninguém possa comprar ou vender, senão aquele que tem a marca, o nome da besta ou o número do seu nome".[1] Hoje em dia, animais domésticos e gado já estão tendo microchips implantados por baixo de suas peles para uma fácil identificação, em lugar dos antigos métodos de marcar com ferro ou tatuar. É claro que ainda não vimos esses microchips implantados em pessoas, mas a referência de Apocalipse 13 sugere que tal prática pode não estar muito distante. Agora considere este recente relato: "...existe um sistema de identificação feito pela Hughes Aircraft Company que você não pode perder. É um transponder implantável com uma seringa... Um minúsculo microchip, do tamanho de um grão de arroz, é simplesmente colocado sob a pele. Foi projetado de modo a ser injetado simultaneamente com uma vacina ou sozinho...".[2]

1 Apocalipse 13:16-17
2 Washington Times, 13 de outubro de 1993.

223.

Testando a Marca

A revista *Wired*, uma publicação sobre novas tecnologias de computadores, analisou recentemente o potencial de implantes humanos – "É claro que a pergunta incendiária é: 'E quanto às pessoas?' Não haveria problemas técnicos, diz Barbara Masin, diretora de operações da Eletronic Identification Devices (Dispositivos de Identificação Eletrônicos), em se implantar os chips em humanos. Mas para se evitar um pesadelo em termos de relações públicas, o acordo de revendas Trovan proíbe especificamente a colocação de chips sob a pele".[1] A *Popular Science Magazine (Revista Ciência Popular)* relata: 'Se pudéssemos fazer conforme nossa vontade, iríamos implantar um chip por baixo da orelha de todo mundo na enfermaria da maternidade', diz Ronald Kane, vice-presidente do grupo de cobrança automática de imposto de renda Cubic Corp. A empresa é a líder do mercado em cartões inteligentes para sistemas de trânsito de grande volume, pedágios em auto pistas, estacionamentos, e outras aplicações, e uma entre numerosas companhias e agências governamentais que estão expandindo a fronteira dos cartões inteligentes – o dinheiro do futuro – ao máximo. Para Kane e seus colegas, a próxima e melhor coisa é dar um cartão a cada pessoa – um passe "high-tech" com memória que poderá, bem antes do que imaginamos, substituir o dinheiro em nossas carteiras".[2] O apóstolo João previu esta tecnologia emergente em uma ilha empoeirada, há quase 20 séculos.[3]

1 *Wired;* setembro de 1995; "A Chip for Every Child? (Um Chip Para cada Criança?)", por Simson Garfinkel.

2 *Popular Science;* julho de 1995; "Money (Dinheiro)", por Phil Patton; p. 74.

3 Apocalipse 13:16-17

224.

Será na Mão...

Hoje em dia, as pessoas se acostumaram a usar códigos em conjunto com seus cartões bancários, cartões de segurança, telefones celulares e sistemas de segurança domiciliar. Mas muitas dessas pessoas estão começando a se esquecer para que serve cada código ou senha. Esta é uma das razões pelas quais a idéia da biometria está pegando na Europa e começando a interessar aos norte-americanos. **Biometria, de uma forma simples, são métodos de identificação baseados em uma característica única, pessoal, como voz ou impressão digital. Os métodos mais populares de identificação biométrica hoje em dia são a impressão digital e a geometria *da mão*.** Uma carta para o editor do jornal *New York Times* destacou que "sua reportagem (Business Day [Dia de Negócios], 21 de março de 1995) declarou que a Visa Internacional irá lançar um cartão de plástico com um microchip embutido que pode guardar quantias de dinheiro e ser usado para pequenas compras. A ITN News noticiou que tais cartões são usados na Bélgica e irão em breve ser testados na Grã-Bretanha. Eu gostaria de ver alguma versão de débito direto através da identificação por escaneamento da mão (ou apenas da impressão digital) como no filme 'Epidemia' com Dustin Hoffman. Seria ótimo não ter que carregar quaisquer cartões e comprar coisas simplesmente esticando a mão rapidamente através de um scanner."[1]

1 *New York Times;* 28 de março de 1995; (Cartas para a Seção Editorial).

225.
...Ou na Testa?

Não tinha havido muito progresso na área da tecnologia biométrica, quanto ao reconhecimento facial. Mas em meados de 1990, as coisas começaram a melhorar nessa área, também. Um artigo na revista *Popular Science (Ciência Popular)* relatou: **"Você pode nunca ter pensado no seu rosto como milhares de pontos de luz, mas é dessa forma que um computador o vê. Novos softwares e acessórios estão fazendo com que os computadores possam digitalizar, analisar e identificar rostos".**[1]

1 *Popular Science;* outubro de 1994.

226.
Onde Existe Vontade... Existe um Meio

Compare estas duas declarações feitas com um intervalo de quase 2.000 anos entre si. A primeira foi feita pelo apóstolo João: "A todos, os pequenos e os grandes, os ricos e os pobres, os livres e os escravos, faz que lhes seja dada certa marca sobre a mão direita ou sobre a fronte, para que ninguém possa comprar ou vender, senão aquele que tem a marca, o nome da besta ou o número do seu nome".[1] Agora compare com estas palavras escritas por Terry Galanoy, o ex-diretor de comunicações da Visa International: "Fazer barulho a esse respeito não vai ajudar em nada, por que a perturbação que você está gerando vai acabar em um dos seus arquivos. E no dia do venha-e-apanhe-o-seu, quando estivermos todos **total e**

completamente dependentes de nossos cartões – **ou de qualquer dispositivo de sobrevivência que possa substituí-lo** – você pode ficar totalmente sozinho!"[2]

1 Apocalipse 13:16-17

2 Terry Galanoy, Charge it! (Carregue-o [com você]!) (New York: Putnum Publishers 1980); ênfase adicionada.

227.

A Tecnologia Existe

O apóstolo João previu um sistema mundial onde ninguém seria capaz de 'dar um jeitinho'. Ele disse que ninguém, em nenhum lugar da Terra, seria capaz de realizar qualquer tipo de transação a menos que recebesse essa marca.[1] Como isso poderia ter sido possível em qualquer geração antes da nossa? Mas até hoje, com toda a nossa tecnologia moderna, uma pessoa ainda pode ir à esquina e comprar um chocolate, sem que ninguém tenha que ficar sabendo disso. Agora, imagine que o dinheiro foi considerado ilegal e que você pode usar apenas seu cartão de crédito. E se então o número do seu cartão fosse cancelado? Soa forçado? Um plano para eliminar o dinheiro vivo, em favor de cartões computadorizados inteligentes, à prova de ladrões, afirma que "isto iria desmontar o crime organizado, pôr um fim definitivo ao tráfico ilegal de drogas, reduziria a espionagem e o terrorismo [e] reduziria drasticamente a corrupção e a evasão fiscal..." Com tais exemplos poderosos demonstrando claramente as vantagens de se eliminar o dinheiro vivo, há uma ampla concordância de que isto é apenas uma questão de tempo. Assim sendo, na mesma geração que viu Israel retornar à sua terra, nós possuímos tanto a tecnologia para registrar eletronicamente cada transação *quanto* a motivação para usá-la!

1 Apocalipse 13:16-17

228.

Permita-me Carregar Seu Arquivo

Se, como previu o apóstolo João, existiria um sistema que permitiria que qualquer transação financeira na Terra fosse rastreada, seria também necessário sermos capazes de rastrear as pessoas que fazem tais transações. Bob Gellman, que durante 18 anos foi conselheiro do sub-comitê do Congresso norte-americano que lidava com essas questões, disse que a maioria dos norte-americanos não tem idéia de quão longe nós já chegamos. Ele diz que "isso tudo é invisível às pessoas e elas não têm idéia que pedaços de suas vidas estão espalhados nestes diferentes arquivos... O que está acontecendo lentamente é que existem mais e mais ligações sendo criadas entre esses registros. Estamos nos aproximando cada vez mais da noção de algum tipo de dossiê centralizado sobre pessoas. Ainda não chegamos lá. Mas é para isso que estamos rumando".[1] O deputado e diretor do Center for Democracy and Technology (Centro para a Democracia e Tecnologia), JanLori Gold-man, alerta que "existe informação a seu respeito, criada e armazenada em bancos de dados por todo o mundo, e que será mantida nesses bancos de dados. Você pode armazenar informação eletronicamente por um tempo muito, muito, muito longo. É barato. É fácil. Cria-se, essencialmente, uma rede eletrônica de informação que funciona como um dossiê, como uma biografia, informações que estão por toda parte e que podem ser aglutinadas pelo apertar de um botão".[2]

1 Final Warning Video (Vídeo do Alerta Final), This Week in Bible Prophecy, 1995.

2 Ibid

229.

A "Rede"

O livro do Apocalipse também nos conta que o anticristo fará com que "todas" as pessoas tenham essa marca. Se não o fizerem, elas simplesmente serão excluídas da economia, incapazes de conduzir quaisquer atividades financeiras. Na verdade, ele diz em Apocalipse 13 que "ninguém" será capaz de comprar ou vender qualquer coisa a não ser que aceite a marca. Em meados de 1995, foi lançado um filme com a atriz Sandra Bullock, chamado **"A Rede"**. Nesse filme, Bullock se encontra completamente excluída do mundo econômico, vítima de alguns poucos toques num teclado de computador. O enredo revela que os conspiradores entraram sorrateira e ilegalmente em bancos de dados governamentais vitais e que mudaram completamente a identidade de Bullock. Eles também deram um jeito de roubar seus passaporte, identidade e cartões de crédito, por ser ela uma pessoa solitária, sem amigos ou família, e por trabalhar em casa, onde não tinha qualquer interação com o mundo exterior; por isso ela chegou ao ponto de não poder provar sua verdadeira identidade. Uma *avant-premiére* especial do filme foi oferecida a um público VIP de executivos de corporações como a Rand Corp. e a divisão de crimes computacionais do Departamento de Justiça dos Estados Unidos. De acordo com uma reportagem do *Toronto Star*, **o auditório "saiu da** *avant-premiére* **impressionado mas incerto pelo que havia visto. 'Eles nos disseram que tudo no enredo era amedrontadoramente preciso e plausível '**, relata o diretor do filme, Irwin Winkler".

230.
A "Mãe de Todos os Discursos"

A Bíblia descreve em termos portentosos a ascensão do Anticristo no cenário mundial dos últimos dias, no décimo terceiro capítulo do livro de Apocalipse. O capítulo fala de um grande líder mundial ascendendo em escala global e conquistando os corações de "toda a terra". Mas como, em qualquer outra geração, alguém poderia se tornar o homem favorito no planeta? Como poderia qualquer homem até mesmo se tornar conhecido pelo resto do planeta? **Pergunte hoje em dia a Mi-**

chael Jackson, O. J. Simpson ou mesmo para Tonya Harding quão difícil é se tornar uma das pessoas mais famosas do planeta. Através do advento de modernas tecnologias de comunicações e da televisão, agora é possível para qualquer homem falar, de fato, para o mundo todo. Basta perguntar a Ted Turner (ex-dono da CNN, a maior rede jornalística de TV a cabo do mundo).

231.

A Imagem da Besta

O capítulo 13 de Apocalipse nos conta que o parceiro do anticristo, o falso profeta, vai fazer uma *imagem* do anticristo ("a besta") para que o mundo adore. Nos é dito que o falso profeta terá o poder de **"comunicar fôlego à imagem da besta, para que, não só a imagem falasse, como ainda fizesse morrer quantos não adorassem a imagem da besta"** (13:5). Imagine um profeta do primeiro século tentando descrever **uma imagem que ganha vida**. Aquilo poderia não ter feito nenhum sentido para ele. Ainda assim ele escreveu. Hoje em dia nós estamos apenas começando a descobrir a incrível maravilha dos hologramas. **Um holograma é simplesmente uma imagem tridimensional, feita apenas de luz, que pode ser feita para se parecer tanto com um objeto real que você, na realidade, pensa poder tocá-la – mas, surpresa, não há nada ali.** Ainda mais impressionante é o fato de que estes objetos podem ser facilmente manipulados para fazer com que pareçam estar se movendo, ou mesmo falando. Imagens 3-D bem definidas, que podiam ser vistas à luz do dia sem óculos especiais, foram criadas em meados da década de 90 por uma companhia de Nova Iorque, utilizando-se de ótica e programação de computadores. Na verdade, tão reais eram essas imagens que várias lojas de departamentos se interessaram na tecnologia para exibir seus produtos. Uma figura holográfica poderia ser criada, por exemplo, para servir de manequim para as roupas vendidas na loja.

232.

O Sr. Data "Pirou"

Uma observação detalhada da profecia da imagem da besta não seria completa sem se considerar os grandes progressos que têm sido alcançados, em anos recentes, no campo da robótica. De acordo com um artigo no jornal *Amarillo Daily News*, "Um robô chamado Cog – inspirado em parte pelo Comandante Data de 'Jornada nas Estrelas: A Próxima Geração' – poderá se tornar um humanóide que irá interagir com pessoas normais".[1] **Um produto da inteligência artificial, Cog está usando seu cérebro para aprender a ver como um bebê humano aprenderia.** O criador de Cog, Rodney Brooks, professor de engenharia elétrica e ciência da computação no MIT*, diz que Cog terá que atingir o nível de uma criança de dois anos de idade para ser considerado um sucesso. Hoje em dia, o quanto destas tecnologias existentes irá ou não realmente ser usada para criar a imagem da besta é, com certeza, impossível de se afirmar. Mas certamente é interessante observar que nenhuma outra geração na história teve a tecnologia para sequer fazer tal profecia parecer possível. Quem sabe devamos encerrar esta secção com as palavras finais da reportagem de capa da revista *Time* acerca de **inteligência artificial,** em sua edição de 25 de março de 1996. Eles concluíram com as palavras do teórico computacional Tom Ray: **"Precisamos estar preparados para uma inteligência que é muito diferente da nossa própria".**

1 *Amarillo Daily News;* 22 de agosto de 1995; "Robot may become humanoid (Robô pode se tornar humanóide)"; p. 10A.

* Nota do Tradutor: MIT é a sigla do Massachussets Institute of Technology, ou Instituto de Tecnologia de Massachussets, uma das mais renomadas universidades em ciências exatas do mundo.

Profecias Sobre a Nova Ordem Mundial

233.

Nós Somos o Mundo

A característica-chave que define os últimos dias do mundo, prevista pelos profetas, era o nascimento da primeira sociedade verdadeiramente global. Esta nova ordem mundial iria unir a humanidade religiosa, econômica, militar e politicamente. No centro dessa ordem está um governo mundial e, de acordo com o apóstolo João, esse governo irá dominar sobre "cada tribo, povo, língua e nação". Daniel viu isso como um sistema que, no final "devorará toda a terra".

Tal sistema nunca existiu. Mas hoje, com o advento de comunicações globais instantâneas, viagens globais, televisões globais e a conseqüente economia globalizada, existe um consenso de que nosso mundo, a cada dia mais inter-conectado, de fato requer um governo global. O homem que pode ter colocado isso tudo em movimento com sua Perestroika – ou Nova Mentalidade, foi Mikhail Gorbachev. Aclamado como um visionário, ele desmantelou a União Soviética com o propósito de promover uma comunidade mundial. Como ele mesmo colocou, "este mundo é um todo, nós todos somos passageiros a bordo de um navio, a Terra, e não devemos permitir que ele naufrague. Não haverá uma segunda Arca de Noé".

Na segunda metade de 1995, Gorbachev já havia se movido para um palco mundial. Em sua "Declaração ao Fórum Mundial" em São Francisco, ele reuniu 500 chefes de Estado, líderes espirituais, cientistas, chefes de corporações e intelectuais para explicar a eles como lealdades nacionalistas deveriam ser substituídas por consciência global. Dali, Gorbachev viajou pelos Estados Unidos com os ex-chefes de Estado George Bush, Margaret

Tatcher e Brian Mulroney para aconselhar a elite tanto de intelectuais como de homens de negócios quanto a seus papéis na transformação.

O papa João Paulo II também sugeriu que a ONU se tornasse algo mais do que uma simples entidade política; sua proposta era que ela "se tornasse um centro moral onde todas as nações do mundo pudessem se sentir em casa". Parece haver um surpreendente consenso nessa visão de uma ONU que vigia os assuntos mundiais, que vão desde a justa distribuição dos oceanos ou dos recursos naturais, o policiamento global, até um tribunal mundial que pudesse trazer criminosos internacionais eficazmente à justiça. Enquanto o profetizado governo mundial ainda não surgiu, o fato é que **nós temos atualmente os mais poderosos líderes da Terra empreendendo todos os seus esforços no sentido de construir uma ordem mundial unida**. E isso tudo está acontecendo exatamente na mesma geração que viu Israel retornar à sua terra. Do jeito que a Bíblia profetizou!

234.

Religião Mundial

A Bíblia nos diz que no centro dessa nova ordem mundial haverá uma nova religião mundial. Em Apocalipse 13 está dito que **cada indivíduo na Terra irá, realmente, *cultuar* o Anticristo – exceto os que são verdadeiros cristãos**. Será que estamos nos movendo rumo a uma religião mundial nos dias de hoje? Um exemplo de que isso pode ser o caso foi a reunião do Parlamento de Religiões Mundiais em meados de 1993. Mais de 150 religiões, do budismo ao catolicismo, se fizeram representar nesse encontro. O resultado foi **"A Declaração de uma *Ética Global"* que procurou esboçar os valores centrais e convicções comuns a todas as crenças**. Aí, no segundo semestre de 94, cerca de 200 líderes espirituais se encontraram em Khartoum, Sudão, para discutir a necessidade de um conselho mundial de religiões que pudesse representar todas as crenças. Tal conselho haveria de promover a cooperação entre as principais religiões do mundo. Aqueles que participaram não apenas **pediram paz e harmonia religiosa entre as religiões do mundo**, mas também pediram uma *nova ordem política*. Como um monge budista colocou, "a unidade da religião promovida pelo Santo Padre Papa João Paulo II e aprovada por sua santidade o Dalai Lama, não é uma meta a ser atingida imediatamente, mas haverá um dia em que o amor e a compaixão que Buda e Cristo pregaram tão eloqüentemente irá unir o mundo num esforço comum de salvar a humanidade da destruição sem sentido, **guiando-a rumo à luz na qual nós todos cremos**".[1]

1 Catholic World (Mundo Católico), maio/junho de 1989, p. 140.

235.

Um Centro Comercial Mundial

Uma terceira parte central dessa nova ordem mundial é uma economia globalizada. O apóstolo João disse, em Apocalipse 13, que essa nova ordem econômica internacional iria dominar todos os habitantes da Terra. Mas uma economia verdadeiramente global não foi possível até os dias de hoje. Antes do advento dos modernos sistemas de comunicação e transporte, o mundo era um pouco mais do que uma coleção de ilhas econômicas. Entretanto, não há como negar o fato de que a mesma geração que viu Israel retornar à sua terra também está vendo claramente a atenção econômica do mundo se concentrar em zonas de livre comércio, na redução de tarifas e na construção da "nova economia global"! Conforme disse o presidente dos Estados Unidos, Bill Clinton, **"esta nova economia global veio para ficar. Não podemos querer mantê-la à distância. Não podemos fugir dela. Não podemos construir muros cercando nossa nação. Nós devemos prover liderança mundial, devemos competir, não recuar".**[1]

1 International Herald Tribune, 6 de julho de 1993.

236.

Policiais Globais

O apóstolo João previu que as regras dessa nova ordem mundial seriam garantidas por **um exército global que se tornaria tão poderoso que as pessoas iriam perguntar "Quem pode pelejar contra ele?"**[1] Mais uma vez, não tem havido nada que se assemelhe a um exército mundial desde o tempo dos romanos – e aquele exército certamente não representava todo o mundo. Mas, atualmente, operações militares multinacionais têm se tornado a norma – em lugares como Somália, Iraque, e Bósnia, só para mencionar alguns. Além disso, com o colapso da União Soviética, o papel da OTAN está atualmente sendo redefinido e reformulado para uma espécie de "polícia global". Como disse o general John J. Sheen, comandante supremo dos aliados da OTAN, num exercício recente: "É através de exercícios como estes que nós verdadeiramente **podemos criar uma nova ordem mundial na qual as forças militares do mundo podem trabalhar em coordenação e cooperação"**.[2] Não sabemos que forma essa polícia global terá no fim, mas mais uma vez é preciso concordar que isso é, sem sombra de dúvida, algo a que os atuais líderes mundiais estão dando séria atenção. Exatamente como os profetas disseram que iria acontecer.

1 Apocalipse 13:4
2 *The New American,* 13 de novembro de 1995, p. 16.

237.

O Império Contra-Ataca!

Uma das mais notáveis profecias da Bíblia encontra-se no nono capítulo do livro do profeta Daniel. Escrevendo 500 anos antes da época de Cristo, ele olhou para o futuro e viu que Jerusalém e seu querido templo seriam destruídos. Historicamente, nós sabemos que isto aconteceu em 70 d.C. quando os exércitos romanos, sob o comando de Tito, arrasaram a cidade e o segundo templo. Mas Daniel também previu mais. Ele disse que as pessoas que fizeram isto seriam o povo do qual o anticristo dos últimos dias iria surgir. Falando deste 'príncipe' vindouro, ele disse: "e o povo de um príncipe que há de vir destruirá a cidade e o santuário..."[1] Mas o Império Romano está morto há mais de 1.500 anos. Se essa profecia tiver de ser cumprida, ele terá que ressurgir no cenário mundial.

Considere o seguinte. Em 1951 a European Coal and Steel Community (Comunidade Européia do Carvão e do Aço [CECA]) começou a existir. Mais tarde, em 1957, com o **Tratado de Roma**, a CECA foi alterada e se tornou a European Economic Community (Comunidade Econômica Européia [CEE]). Com o passar do tempo, a CEE estendeu seu alcance além da economia e se tornou a European Community (Comunidade Européia). Entretanto, no meio da década de 90, ser descrita como uma comunidade não mais parecia apropriado, e então ela se tornou a European Union (União Européia [UE]). Hoje, a União que forma a maior zona de livre comércio no mundo está prestes a ter sua própria moeda européia*. E já começou a formar um exército. Além disso, **não é segredo que a UE é formada, em grande parte, do mesmo território que pertenceu ao Sacro Império Romano**.

O ex-chanceler alemão Helmut Kohl viu este império emergente em termos bíblicos. Ele declarou que "Os Estados Unidos da Europa irão formar o centro de uma ordem pacífica ... a era profetizada na antigüidade, em que todos irão habitar com segurança e ninguém os amedrontará".[2] Entretanto, o comunista russo Leon Trotsky, escrevendo em 1917, enxergou isso nos termos do mundo atual: "o papel do proletariado é o de criar os Estados Unidos da Europa, como uma base para os Estados Unidos do Mundo".

1 Daniel 9:26.

2 *Associated Press,* 8 de junho de 1990.

* [N.R.] Essa informação é do tempo em que o livro foi escrito, 1996. Desde 01/01/1999 o Euro tornou-se a moeda oficial da União Européia.

238.

Os Reis do Leste!

O nono capítulo do livro do Apocalipse contém uma profecia notável. Ali, o apóstolo João, olhando diretamente para os últimos dias, viu um exército vindo do leste do Rio Eufrates para atacar Israel. O que é particularmente interessante é o fato de que João viu o tamanho do exército. Ele disse "O número dos exércitos... era de vinte mil vezes dez milhares".[1] Considerando o tamanho da população mundial conhecida nos dias de João, aquele era um número inimaginável. Aliás, não foi senão nos tempos modernos, com a explosão populacional da China e da Índia, que tal idéia chegou a ser possível. Só China e Índia compreendem, juntas, 40% da população mundial! Com 2 bilhões de habitantes, um exército de 200 milhões não é assim tão difícil de se imaginar.

1 Apocalipse 9:16

239.

Paz em Nosso Tempo?

A despeito das tensões muito reais no mundo atual, existe otimismo. Agora que a Guerra Fria acabou, o mundo parece acreditar que podemos construir uma nova ordem mundial segura e próspera. Enquanto, por um lado, os Estados Unidos e a ex-União Soviética assinam tratados para o desmantelamento dos arsenais e redução de tropas, parece que os profetas já tinham previsto essa mudança de atitude. O apóstolo Paulo disse que nos últimos dias o brado do mundo seria por **paz e segurança**.[1] Hoje, a paz parece estar surgindo quase em todos os lugares. Israel assinou um tratado de paz com a Jordânia e o Egito e também está progressivamente trabalhando num processo de paz com os palestinos. A comunidade mundial trabalhou arduamente para trazer paz à ex-Iugoslávia, e em 21 de março de 1995 cinqüenta e duas nações européias, os Estados Unidos e o Canadá assinaram "O Pacto da Estabilidade", também conhecido como Plano Balladur. Junto com o pacto, estão cerca de noventa e dois "acordos e planos de cooperação e boa vizinhança". Além disso, **no segundo semestre de 1994 o governo dos Estados Unidos anunciou que estava destruindo seu "Projeto Dia do Juízo", de onze anos de duração.** O programa providenciava abrigos subterrâneos para oficiais-chave dos Estados Unidos e estabelecia uma rígida cadeia de comando para líderes militares e civís, no caso de um ataque nuclear. O mundo, aparentemente, está de fato começando a dizer "paz e segurança".

1 Tessalonicenses 5:1-3

240.

IIHH! Falamos Cedo Demais!

Existe, entretanto, uma segunda parte da profecia citada anteriormente. Na primeira carta aos Tessalonicenses, o apóstolo Paulo diz que *após* as pessoas começarem a falar em paz e segurança "eis que lhes sobrevirá repentina destruição".[1] Da mesma forma, Daniel diz que o anticristo chegará prometendo paz mas "destruirá a muitos que vivem despreocupadamente".[2] A situação do mundo hoje parece notavelmente similar ao cenário descrito pelos profetas – um mundo que diz 'paz e segurança', mas que tem razões reais para ficar preocupado. Enquanto muitas nações do mundo assinaram o tratado de não-proliferação de armas nucleares, outras se recusaram a assinar, como Israel, Índia e Paquistão, que supostamente possuem o domínio da tecnologia nuclear. Outras nações se recusaram a fazê-lo enquanto o domínio da tecnologia nuclear continuar apenas nas mãos das cinco superpotências. Muitos concordam que o mundo não precisa temer um holocausto nuclear, desde que o bom senso prevaleça. Entretanto, quando o mundo lida com nações e terroristas párias, nem sempre está lidando com bom senso. Em 1995, surgiram relatórios de desertores da família de Saddam Hussein, informando que havia no Iraque muita pesquisa e armamentos para **guerra química e**

bacteriológica que não haviam sido descobertos pelos inspetores da ONU, após a guerra do Golfo. **Existe ainda um grande temor de que a ex-União Soviética não vem fazendo um trabalho muito confiável quanto a manter controle de suas armas nucleares ou dos materiais necessários para se criar essas armas.** Vários casos de contrabando de materiais para armas nucleares rumando para a Europa já foram descobertos e tudo o que podemos fazer é apenas começar a especular sobre quanto desse material já está nas mãos de terroristas. Hoje em dia, a possibilidade de repentina destruição vinda em meio a brados de paz está longe de ser remota!

1 1 Tessalonicenses 5:1-3
2 Daniel 8:25

241.

A ONU Entendeu a Coisa ao Contrário

A pedra fundamental da sede da Organização das Nações Unidas em Nova Iorque contém o verso do livro de Isaías que promete que os homens "converterão as suas espadas em relhas de arados".[1] Entretanto, essa profecia está falando sobre o tempo em que o Messias irá reinar sobre Seu reino, depois que Ele retornar à Terra. A tentativa do homem de construir sua própria nova ordem mundial acaba exatamente da maneira oposta, de acordo com o profeta Joel, que diz: "Forjai espadas das vossas relhas de arado e lanças, das vossas podadeiras; diga o fraco: Eu sou forte".[2] A frase "diga o fraco: Eu sou forte" confundiu estudiosos da Bíblia por muito tempo. Nas gerações passadas as nações eram ou fracas ou fortes, mas hoje em dia qualquer nação, por mais fraca que seja, pode se tornar forte simplesmente pela inclusão de armas nucleares em seus arsenais.

1 Isaías 2:4
2 Joel 3:10

242.

A Mãe de Todos os Rumores

Ao ser perguntado sobre a última geração, uma das descrições que Jesus deu é a de que haveriam "guerras e rumores de guerras".[1] A frase 'rumores de guerras' é interessante para esta geração. Nenhuma outra geração tinha o desastre nuclear à disposição da forma que nós o temos. E o fato é que o 'rumor' de uma guerra termo-nuclear em potencial levou ao nascimento do maior movimento social da história – o movimento pela paz.

1 Mateus 24:6

243.

O Democrático Reino do Anticristo

O profeta Daniel, descrevendo o império que iria dominar o mundo nos últimos dias, disse que o reino seria feito "em parte de ferro e em parte de barro."[1] O ferro de um país pode ser visto em sua capacidade militar – por exemplo, a *Cortina de Ferro* ou o *Pulso de Aço* de Roma. Mas a referência ao barro também é interessante. Através de toda a Bíblia, o barro é um símbolo do homem.[2] Assim sendo, um reino de barro tem sido interpretado há tempos pelos estudiosos da Bíblia como um "Reino das Pessoas". Hoje, um mundo que sentiu medo quando o comunismo varria na direção do Ocidente, está descobrindo que é a democracia ('do povo, pelo povo, e para o povo') que está varrendo tudo rumo ao Oriente. À medida em que os dois sistemas se adaptam para envolver um ao outro, como no caso da Europa Oriental, nós podemos estar começando a ver os estágios de formação de um império feito "em parte de ferro e em parte de barro".

1 Daniel 2:41-42

2 Isaías 45:9; 64:8

244.

Minha Tribo Pode Derrotar a Sua Tribo

Após o final da 2ª Guerra Mundial, em 1945, as nações aliadas dividiram o mundo. Mas, em lugar de encontrar a paz, o mundo se encontrou em meio à Guerra Fria, simbolizado pela construção russa do Muro de Berlim. Os governantes comunistas daquela época silenciaram hostilidades tribais sob sua cortina de ferro por décadas a fio. Mas, com o final da Guerra Fria, essas tensões tribais começaram a aparecer uma vez mais. A guerra na ex-Iugoslávia é um exemplo perfeito. Existem também tensões étnicas em outras nações ex-soviéticas como no Azerbaijão e no Cazaquistão. Ao mesmo tempo existem tensões tribais em nações africanas como Burundi e Ruanda onde os hutus estão lutando com os tutsis. Até mesmo nações pacíficas estão experimentando algumas formas de tensão étnica. Tome o Canadá, por exemplo, onde canadenses de origem francesa em Quebec quase optaram por deixar o país. Nos Estados Unidos, conflitos raciais ameaçam transformar grandes cidades em campos de batalha. Reações ao veredito do caso Rodney King mostram quão longe a polarização chegou. A realidade, no entanto, é que parece que o mundo está se movendo na direção da paz, mas há grandes conflitos e tensões que giram, em grande parte, em torno das diferenças étnicas. E este aumento nas tensões entre tribos, clãs ou raças, foi predito pela Bíblia. **Jesus disse em Mateus 24.7 que "se levantará nação contra nação", mas a palavra grega que Ele usou para nação foi *ethnos*, significando tribo ou grupo étnico.**

245.

Mistério, Babilônia...

Em Apocalipse 17, o apóstolo João descreve a religião mundial unificada dos últimos dias como uma religião "prostituta" que tinha o nome de "Mistério, Babilônia..." escrita nela. A religião dos antigos babilônicos era intensamente influenciada pela astrologia, magia, advinhação e ocultismo. Em anos recentes, nosso mundo moderno tem visto um notável aumento no interesse pelos mesmos tipos de ideologias que constituíam a cultura babilônica. Executivos e políticos estão tendo seus mapas astrais sendo feitos. É relatado que líderes políticos na Rússia e na Arábia Saudita usam magia negra, ou que consultam adivinhos para seus fins políticos. Autoridades policiais até mesmo se valem de médiuns para conseguir indícios e informações em casos criminais. Aliás, em 1995 foi relatado que **a CIA há 20 anos vinha se utilizando de seis médiuns para missões de inteligência. Uma recente pesquisa nacional patrocinada pela Universidade de Chicago descobriu que 67% dos norte-americanos dizem já ter tido experiências mediúnicas.** Conforme um pesquisador observou, "enquanto observadores céticos persistiram em rotulá-lo de 'moda passageira' e predizer sua passagem iminente, ao longo dos últimos vinte anos, o Movimento da Nova Era tem ganho ímpeto silenciosa, porém implacavelmente. Enxergando esse fenômeno sem precedentes com considerável esperança, **alguns pesquisadores o têm chamado de "a mais poderosa força rumo a mudanças positivas na história humana"**.

Profecias Sobre o Mundo Natural

246.

A AIDS e a Bíblia

Há não muito tempo os cientistas achavam que, enfim, estavam finalmente ganhando a guerra contra as doenças. Com o crescente uso de antibióticos parecia que as doenças bastante disseminadas – ou pestilências, como são chamadas na Bíblia – estavam prestes a se tornar uma coisa do passado. Mas a coisa mudou de figura. Doenças como a tuberculose, tidas como totalmente erradicadas, estão agora reaparecendo. Outras doenças novas e estranhas estão surgindo. Existe o streptococcus A, um vírus carnívoro, assim como também houve a erupção do Ebola no Zaire. Os médicos estão atualmente percebendo que estão perdendo a batalha, à medida que os micróbios estão se tornando imunes a todos os antibióticos existentes. A AIDS é apenas um exemplo dos novos 'vírus espertos'. Até mesmo a bactéria que causa a pneumonia está evoluindo para formas que não podem ser tratadas pela medicina moderna. **A intensificação das viagens pelo mundo, as mudanças nos hábitos sexuais e o aumento no número de refugiados, têm possibilitado que muitas doenças se tornassem pandêmicas, espalhando-se rapidamente ao redor do planeta, quase que da noite para o dia.** Numa conferência sobre microbiologia em Sidney, Austrália, em julho de 1992, Frank Fenner, da Escola de Pesquisa Médica John Curtin, em Camberra, advertiu que uma peste pandêmica parece algo realmente inevitável! Quando perguntaram a Jesus acerca dos dias que antecederiam Sua vinda, a sexta característica que Ele deu era a de pestilência – doença mundial.[1] Em gerações passadas, antes do advento das viagens pelo mundo, isso era simplesmente impossível. Na época, as doenças eram limitadas pela geografia. Hoje em dia doenças mortais podem viajar pelo globo tão facilmente quanto o podem as pessoas infectadas.

1 Lucas 21:11

247.

Crise Mundial de Alimentos

A quinta característica que Jesus mencionou quando perguntado acerca dos últimos dias, foi a difusão da fome em escala global.[1] Em 1991 e 1992, o sul da África sofreu uma grande seca, e mais tarde, em meados de 1995, o continente sofreu com uma colheita muito baixa, de apenas 40% do que se colhera no ano anterior. Botsuana, com uma quebra da safra da ordem de 90%, teve que declarar estado de emergência e previa-se que mais de 10 milhões de pessoas passassem fome como resultado das pobres colheitas de 1995. **A maioria das pessoas chegou a acreditar que a fome pudesse atingir apenas os climas desérticos das nações africanas, mas ficou claro que não foi o que ocorreu**. A Rússia, em anos recentes, vem enfrentando seu própio caso de fome. E mais recentemente, vazamentos de petróleo ocorridos por causa de tubulações velhas e podres, vêm destruindo os rios que abastecem seres humanos, renas e gado. Os vazamentos de petróleo também têm destruído a provisão de peixes, e a produção avícola despencou assustadoramente. Estimativas oficiais apontaram para um aumento de 50% no custo do pão, em 1996. A Ucrânia está enfrentando os mesmo problemas, enquanto fontes da inteligência têm sugerido que a China provavelmente enfrentará racionamento de grãos, após uma intensa seca em 1995. Relatórios feitos no final de 1995 alertaram para o fato que os estoques de grãos chegaram aos níveis mais baixos, após uma seca na Austrália. **Muitos peritos agora concordam que um grande desastre ou uma catástrofe meteorológica* poderiam**

significar uma crise de alimentos que seria sentida em escala mundial.

1 Mateus 24:7

* Convém destacar que o livro foi escrito antes que o fenômeno El Niño começasse a se manifestar, desde o final de 97.

248

Estou Tremendo!

A sétima característica que Jesus citou quando descrevia o mundo nos momentos que antecederem Sua volta, foi o fato de que haveria um aumento nos terremotos.[1] De acordo com fontes do Ministério de Energia, Minas e Recursos Naturais do Canadá, de 1900 a 1969, ocorreram cerca de 48 terremotos que registraram 6,5 ou mais na escala Richter. Isto dá uma média de **6 por década**. De 1970 a 1989 ocorreram 33 terremotos medindo 6,5 ou mais. Isto dá uma média de **17 por década**. De janeiro de 1990 a julho de 1990 ocorreram 10 terremotos de 6,5 ou mais intensos. São 10 grandes terremotos em apenas seis meses. E de julho de 1990 a outubro de 1992 ocorreram 133 terremotos que registraram 6,5 ou mais. Isto dá uma média de **600 por década**. Em 1995 tivemos grandes terremotos no Japão, em Manzanillo no México, e na Rússia. Moradores da Califórnia e de Vancouver, no Canadá, já têm sido alertados de que o "Big One (O Grande)" está por vir. Roger Bilham, geólogo da Universidade do Colorado alertou seus ouvintes numa reunião da União Internacional de Geodésia e Geofísica para o fato que megacidades, com população de 2 milhões ou mais de habitantes, foram construídas ao longo das grandes falhas. Seu alerta aos ouvintes foi simplesmente assustador: **"É virtualmente certo que ocorrerão catástrofes nas próximas décadas, como jamais vimos antes".**[2]

1 Mateus 24:7

2 *Reuters,* 4 de julho de 1995: "Terremotos ameaçam grandes cidades com catástrofes, previne geólogo".

249.

O Buraco na Camada de Ozônio

O ozônio é um gás (O_3) que forma a ozonosfera, que se encontra entre 10 e 48 quilômetros acima da superfície da Terra. Ela protege a Terra dos nocivos raios ultravioletas do Sol. Ainda assim, esta camada protetora permite que raios ultravioleta suficientes passem, a ponto de causar queimaduras de Sol, e em alguns casos, câncer de pele. Mas **em anos recentes tem havido um crescimento alarmante no número de casos de câncer de pele e a diminuição da camada de ozônio vem sendo culpada por esse aumento da doença.** E, além disso, foi descoberto, há não muito tempo, que existe um "buraco" na camada de ozônio sobre a Antártida. Em meados de 1990, o buraco na camada de ozônio era maior do que a Europa! A Bíblia bem pode ter previsto esse evento no décimo sexto capítulo do livro do Apocalipse. O apóstolo João, contemplando os nossos dias, disse: "O quarto anjo derramou a sua taça sobre o sol, e foi-lhe dado queimar os homens com fogo... e blasfemaram o Deus do céu por causa das angústias e das úlceras que sofriam...".[1]

1 Apocalipse 16.8,11*

250

E Quanto ao Clima?

Tempestades centenárias são tormentas tão fortes que só ocorrem uma vez a cada cem anos, aproximadamente. Uma certa contagem nos dá conta que ocorreram quatro dessas tempestades nos últimos cinco anos. Na América do Norte, lembramos do furacão Andrew, ou da enchente do Vale do Rio Mississipi. Mas tais fenômenos vão muito além da América do Norte. Um recente relatório foi feito por 1.580 cientistas de mais de 69 nações. Intitulado **"Alerta à Humanidade, feito por Cientistas de todo o Mundo", ele conclui dizendo que os "seres humanos e o mundo natural** estão em rota de colisão". Até mesmo a revista *Time*, em reportagens sobre furacões, tornados e monções refere-se a "estranhos fenômenos climáticos". Jesus, descrevendo os últimos dias, disse para observar o "bramido do mar e das ondas".[1]

1 Lucas 21:25

251.

Moralidade Pega de Calças Curtas

Falando dos últimos dias, a Bíblia diz que a "iniqüidade", ou impiedade, "se multiplicará".[1] Uma das melhores maneiras de se saber do que uma sociedade é feita é através de sua cultura. Hoje, por causa da televisão, está surgindo a primeira cultura global. E não é segredo que o mundo está sendo inundado com programas violentos e sexualmente promíscuos, que escancaram as portas às idéias mais anticonvencionais. Da mesma forma, a música rock contemporânea é, em grande parte, preocupada com sexo, drogas, e com o ocultismo. E as artes? Surgiu o "Urina Cristo", de Andres Serrano, **um crucifixo imerso numa garrafa de urina**. Em 1994, uma escultura foi exposta na frente da prefeitura de Kansas City. A escultura tinha oito homens-palito, de 1,2 m de altura, que estavam sexualmente excitados. Quando policiais da cidade cobriram as genitálias das estátuas com sacos de lixo, a União Pelas Liberdades Civis entrou com um processo na justiça. Houve a mostra de "A Festa do Jantar", apresentando **uma pintura da genitália feminina em pratos de jantar**, na Universidade do Distrito de Columbia. "Confrontando Seus Receios", de Roberta Cohen, representa **uma figura masculina em plena ereção, estrangulando uma figura feminina**. Ainda que tal "arte" não reflita a moral de todos os indivíduos na sociedade, ela está se tornando predominante. E aqueles que se opõe a ela, como os crentes comprometidos com o cristianismo bíblico, estão sendo vistos como censuradores fanáticos, e estão recebendo dos tribunais a ordem de simplesmente 'tolerar e ficar de boca fechada'.

1 Mateus 24:12

252.

Violência

Jesus disse que os últimos dias seriam como os dias de Noé.[1] A Bíblia registra as características daqueles dias. Gênesis 6.11 diz que "a terra estava corrompida à vista de Deus e cheia de violência". Hoje, ninguém pode assistir aos telejornais sem perceber que nós vivemos num mundo muito mais violento do que em qualquer época do passado. Enquanto o mundo tem conhecido abundância de guerras, a violência do dia-a-dia está aumentando de forma assustadora. Na realidade, de acordo com estatísticas do FBI, houve um aumento de 560% no número de crimes violentos nos Estados Unidos desde 1960. Na ex-União Soviética as coisas estão muito piores. [O ex-presidente] Boris Yeltsin já chegou a cogitar colocar tropas do exército nas ruas para atuar como patrulhas anti-crimes.

1 Lucas 17:26

253.

Homossexualismo em Ascensão

Hoje em dia, no mundo inteiro, em nação após nação, leis e constituições estão sendo modificadas para proteger os direitos dos homossexuais e das lésbicas. Está se disseminando a idéia de que devemos aceitar esses estilos de vida "alternativos". Cristãos que pregam contra isso estão sendo considerados religiosos intolerantes e bitolados. Nos Estados Unidos, currículos educacionais sobre homossexualismo e lesbianismo têm se infiltrado em muitos programas de saúde e na educação sexual das escola públicas. **Literatura tipo "O Parceiro do Papai" e "Heather Tem Duas Mamães" estão se tornando lugar comum nos currículos escolares.** Os presidentes norte-americanos George Bush e Bill Clinton têm convidado lobistas de homossexuais e lésbicas para a Casa Branca, dando a eles reconhecimento semelhante ao de qualquer outro movimento de interesse especial. Jesus disse que os últimos dias seriam como "aconteceu nos dias de Ló..."[1] Os dias de Ló, lembre-se, ficaram conhecidos pela destruição de Sodoma e Gomorra, onde o homossexualismo era exaltado.

1 Lucas 17:28

254.

Adolescentes Armados... Perigo em Casa!

O apóstolo Paulo nos oferece uma descrição estridente da última geração: "pois os homens serão egoístas, avarentos, presunçosos, arrogantes, blasfemos, desobedientes aos pais, ingratos, ímpios, sem amor pela família, irreconciliáveis, caluniadores, sem domínio próprio, cruéis, inimigos do bem, traidores, precipitados, soberbos, mais amantes dos prazeres do que amigos de Deus..."[1]. Ninguém mais pode argumentar que a nossa geração é como qualquer outra, com os jovens praticando uma nova mania. Muitas escolas nos Estados Unidos têm precisado recorrer à instalação de detectores de armas na porta de entrada. E esta não é uma decisão casual. **Os que realizam esse monitoramento da situação alertam que a tendência da violência de adolescentes é epidêmica***. Uma das tendências mais recentes é a de filhos matando seus próprios pais. Talvez o caso mais famoso é o dos irmãos Menendez [filhos de um rico casal da alta sociedade da Califórnia, que executaram seus pais sumariamente, e não viram nada de errado no que fizeram]. Mas existem numerosos casos similares: Jason Edward Lewis, na época com 15 anos de idade, matou seus pais por estar irado por causa de um "toque de recolher" à meia-noite.[2] Um estudante de dezessete anos de idade - pertencente ao seleto ról de honra [alunos com médias acima de 9] - foi processado por trazer uma arma à escola. Ele foi sentenciado a prestar serviços comunitários. Seus pais, mais tarde, o puniram, retendo as chaves de sua pick-up e não permitindo que ele ouvisse seu estilo de música predileto. Ele simplesmente atirou neles, na frente de suas duas irmãs. É claro que a maioria das crianças nunca chegaria a cogitar tais coisas. Mas não houve nenhuma outra geração na história humana com exemplos tão disseminados do completo colapso da sociedade!

*Quando o livro foi escrito, não haviam ocorrido os inúmeros casos de 1998/99, onde adolescentes e até pré-adolescentes, fuzilaram colegas e professores em escolas em vários estados norte-americanos, a ponto do Presidente Bill Clinton estar empenhado numa nova avaliação da lei que faculta a livre venda de armas de fogo nos Estados Unidos.

1 2 Timóteo 3:2-4, NVI.

2 *Boston Globe (O Globo de Boston);* 15 de março de 1995; conforme citado na Blumenfeld Educational Letter (Carta Educacional de Blumenfeld); março de 1995.

255.
Os Novos Aprendizes de Bruxaria

O apóstolo João nos conta que nos últimos dias, uma das características-chave da sociedade seria a difundida prática de "feitiçaria"[1]. A palavra grega para a nossa expressão protuguesa "feitiçaria" nessas referências bíblicas é *pharmakeia*, de onde nós tiramos nossas palavras farmácia e farmacologia. A referência à bruxaria, nesse caso, está claramente relacionada às drogas. Não há qualquer dúvida de que o Ocidente enfrenta um tremendo problema com o uso de drogas entre seus adolescentes e até mesmo entre as crianças menores. Mas existe mais do que um simples interesse em drogas como a maconha e a cocaína no mundo de hoje. Na verdade, estamos vendo um crescente interesse em drogas que alteram o estado mental e alucinógenos como o LSD. Também estamos vendo muitos profissionais de alto gabarito da América do Norte e da Europa afluindo para a região amazônica por causa de um crescente interesse no xamanismo. Eles querem estudar os efeitos de plantas psicodélicas através de experiências *in loco*, conforme fez Carlos Castañeda com o índio Juan. Carlos Castañeda escreveu uma série de livros sobre seus experimentos com substâncias que alteram a mente como o peiote, e acerca de seu aprendizado do xamanismo. O xamãs sul-americanos estão agora permitindo que turistas sejam seus aprendizes, dando a eles misturas de cerca de uma dúzia de plantas psicodélicas, como a videira lenhosa conhecida como *aya-huasca*, para que eles possam aprender como tornar-se mistica-mente "um só" com o universo.

1 Ap 9.21; 18.23

Religião e Engano Religioso

256.

A Serpente Fala Novamente

Se você já freqüentou Escola Dominical, haverá de lembrar que a serpente seduziu Eva a comer o fruto proibido com 'a Mentira'. **Satanás disse a ela que, se comesse do fruto, os seus olhos seriam abertos; ela se tornaria como uma deusa e nunca haveria de morrer.**[1] Essa mesma mentira, que tem sido o cerne das religiões orientais por milhares de anos, tem sido reapresentada para o Ocidente, e como Eva, milhões de pessoas a estão engolindo. O **Maytreia**, que o líder de Nova Era Benjamin Creme afirma ser 'o cristo', reivindica que "o homem é um Deus emergente... meu plano e meu dever é o de revelar a você um novo caminho... que irá permitir que o divino existente no homem venha a brilhar". **Maharishi Mahesh Yogi**, o fundador da Meditação Transcendental diz "acalme-se e saiba que você é deus". A atriz **Shirley MacLaine** conta a milhões, através de seus livros e de suas aparições na mídia, que "você é tudo... Quem sabe a tragédia da raça humana foi que nos esquecemos que somos todos divinos... Você jamais deve adorar alguém a não ser a si mesmo. Porque você é Deus". Não resta a menor dúvida de que a mentira da serpente está tomando conta do mundo hoje. E mais: **o apóstolo Paulo**, escrevendo há dois mil anos, disse que nos últimos dias um forte engano viria sobre a Terra, levando a humanidade a abraçar essa mesma mentira![2]

1 Gênesis 3:4-5

2 2 Tessalonicenses 2:11

257.

O Ego Todo-Poderoso

Quase paralelamente ao ressurgimento da mentira da serpente, encontra-se a profecia do apóstolo Paulo de que "nos últimos dias, sobrevirão tempos difíceis, pois os homens serão egoístas...".[1] Hoje, somando-se aos milhões que agora literalmente crêem que são deuses, estão os milhões que têm abraçado o **movimento do potencial humano**. Norteados por seminários de auto-ajuda, programas de treinamento e livros best-sellers, vem se ensinando a essas pessoas exatamente os princípios das religiões orientais. Reportando-se a essa tendência de fuga da realidade, o jornal *New York Times* disse que "representantes de algumas das maiores corporações norte-americanas, incluindo a **IBM, a AT&T e a General Motors**, se encontraram no Novo México neste último verão para discutir **como a metafísica, o ocultismo e o misticismo hindú podem ajudar executivos a competir no mercado de trabalho**".[2] Enquanto isso, as aulas de auto-estima têm se tornado a norma nas escolas públicas. Os estudantes de hoje estão sendo ensinados de que o caminho para o sucesso é através do amor-próprio, e que os problemas da sociedade são causados por falta de auto-estima.

1 2 Timóteo 3:1-2

2 Robert Lindsey, New York Times, 29 de setembro de 1986.

258.

Falsos Messias

A primeira coisa que Jesus disse sobre os últimos dias foi que haveria intenso engano e que "virão muitos em meu nome, dizendo: Eu sou o Cristo, e enganarão a muitos".[1] Você deve se lembrar do horrendo suicídio em massa dos seguidores de **Jim Jones** há algumas décadas atrás. Há também o Rev. Sun Myung Moon da Igreja da Unificação, que reivindica ser um messias*. O rabino

Menachem Schneerson morreu recentemente em Nova Iorque. Seus seguidores judeus, formando o Movimento Lubavitcher, acreditavam que ele era o messias. Em dias mais recentes, **David Koresh**, outro auto-proclamado messias, atraiu a atenção da mídia por causa do incêndio com que destruiu a si e seus seguidores no complexo do Ramo Davídico, em Waco, Texas. Quase na mesma época, houve outro suicídio/assassinato catastrófico em massa na Suíça. No caso, das pessoas que haviam seguido os ensinamentos de **Luc Jouret,** da Ordem do Templo Solar. Jouret também reivindicava que ele era o cristo. Há vários anos seguidos, Benjamin Creme tem afirmado que o Maytreia, um Cristo da Nova Era, em breve se revelará ao mundo. E a lista continua. Mas talvez o maior cumprimento dessa profecia não seja encontrado nos casos desses líderes fraudulentos. Em lugar disso, temos que perceber que **milhões de seguidores da Nova Era agora andam por aí acreditando que são deuses**. Hoje em dia, parece que qualquer José, Paulo ou João, através do movimento da Nova Era, pode ser seu próprio messias!

1 Mateus 24:5

* Recentemente, ele adquiriu uma enorme área nas proximidades de Dourados, MS, onde pretende instalar sua nova sede mundial.

259.

Sinais e Maravilhas

Após ter alertado os discípulos sobre falsos Cristos e falsos profetas, Jesus os alertou de que esses impostores seriam capazes de realizar sinais e maravilhas que haveriam de enganar profundamente as pessoas.[1] Pessoas de todo o mundo afluem para Fátima e Medugorje esperando ter uma visão da virgem Maria. Gurus do Oriente, como Sai Baba, que podem realizar exibições miraculosas, atraem centenas de seguidores do Ocidente. E milhares de pessoas estão reivindicando ter sido contatadas por extraterrestres. Uma pesquisa feita pela Roper em 1993 descobriu que **18% dos adultos norte-americanos afirmavam ter sido acordados por alienígenas,** o que os deixou praticamente paralisados. 2% dos adultos norte-americanos afirmam que já foram literalmente seqüestrados por esses alienígenas! Milhares estão afluindo para canalizadores de transes, e espíritos-guias, em busca de uma experiência sobrenatural... e muitos a estão encontrando. Como os autores Whitley Strieber e Shirley MacLaine observaram, o que aconteceu a eles está acontecendo a milhões. **Os sinais e maravilhas que eles têm testemunhado os têm convencido de que são reais. Que perfeito cenário para uma fraude espiritual em massa!**

1 Mateus 24:24

260.

Ensinos de Demônios

Tanto o apóstolo Paulo quanto o apóstolo Pedro alertaram que "espíritos enganadores" e "ensinos de demônios"[1] seriam predominantes nos últimos dias. Hoje, **inúmeras pessoas ao redor do mundo estão prontas e desejosas para procurar o conselho de espíritos de outras épocas e lugares**. Pessoas, incluindo algumas famosas como as atrizes **Shirley MacLaine** e **Linda Evans**, gastam milhares de dólares de uma só vez para contatar com entidades espirituais através de canalizadores de transes, tais como **J.Z. Knight** ou **Kevin Ryerson**. Religiões pagãs e espiritualismo primitivo estão reaparecendo de uma maneira grandiosa; todo dia pessoas têm procurado por xamãs e curandeiros para obter esclarecimento espiritual. As pessoas até mesmo procuram espíritos-guias em sessões com seus médicos e psicólogos, esperando que estes guias lhes mostrem o caminho para o bem-estar físico e mental. Outros afirmam estar recebendo mensagens de ET's e de seres que se encontram entre duas encarnações. Pelo fato notável de que todas estas mensagens – tenham elas supostamente vindo de ET's, espíritos-guia, anjos, ou entidades canalizadas – parecem ser a mesma, as pessoas acreditam que elas estão recebendo verdade e sabedoria do além. **De fato, as mensagens são muito similares umas às outras *e* à mentira que a serpente contou a Eva no Jardim do Éden.** Como um entusiasmado relatório apontou: "Qualquer que seja o método de canalização, o mais importante é seu conteúdo, e o que há aqui é uma notável concordância, ou mesmo unanimidade, entre as várias entidades canalizadas".

1 1 Timóteo 4:1; 2 Pedro 2:1

261.

Um Retrocesso

O engano nos últimos dias será tão grande que até mesmo muitos que reivindicam ser cristãos "apostatarão da fé".[1] Em sua segunda carta aos Tessalonicenses, o apóstolo Paulo disse que antes que Cristo venha novamente haverá apostasia, um decair da fé, nas igrejas que reivindicam representá-lO.[2] Um levantamento recentemente realizado entre **7.441 pastores protestantes** revelou resultados surpreendentes. **Perguntados se crêem que a Bíblia é a Palavra de Deus inspirada e inerrante, 87% dos metodistas disseram NÃO; 95 % dos episcopais disseram NÃO; 82% dos presbiterianos disseram NÃO; 67% dos batistas disseram NÃO.**[3] E a lista continua. Os exemplos desse afastamento são muito numerosos para se mencionar. Mais e mais igrejas ditas históricas, que reivindicam representar Cristo e a Palavra de Deus, estão considerando a ordenação de homossexuais, a despeito do fato de que a Bíblia condena o homossexualismo como pecado. O bispo Holloway, **bispo anglicano de Edimburgo, afirmou que genes dados por Deus nos fazem cometer adultério,** apesar da Bíblia condenar o adultério como pecado. O Conselho de Responsabilidade Social da Igreja da Inglaterra (Anglicana) publicou um relatório intitulado "Algo Para Celebrar" em que observava a possibilidade de se tolerar a coabitação sem casamento, apesar da Bíblia condenar a fornicação (ou adultério). É certo que estamos testemunhando a apostasia dos últimos dias, exatamente como a Bíblia conta que veríamos.

1 1 Timóteo 4:1

2 2 Tessalonicenses 2:3

3 Pulpit Helps, dezembro de 1987.

262.
Lá Vêm Esses Cristãos Malucos de Novo!

A Bíblia nos conta que, durante os últimos dias, as pessoas irão zombar daqueles que crêem na segunda vinda de Jesus Cristo. O apóstolo Pedro chama essas pessoas de "escarnecedores" que irão perguntar "onde está a promessa da Sua vinda?"[1] Surpreendentemente, alguns dos primeiros exemplos desse fenômeno são líderes de igrejas! Pelo movimento Nova Era o Rev. David Ebaugh, por exemplo, diz: "Você pode estudar um livro acerca de subir ao céu no chamado arrebatamento, se aquilo lhe faz se sentir bem. Nós queremos estudar a Bíblia para aprender a viver e amar e para trazer o paraíso para a Terra". De maneira semelhante, o exarcebispo de Canterbury, Sir Robert Runcie, acredita que todas as religiões deveriam tentar se agrupar numa grande religião ecumênica. Os únicos que não seriam bem-vindos são aqueles que esperam pela segunda vinda. De acordo com Runcie, "...nem nós podemos aceitar o desespero daqueles que interpretam as várias crises que nós enfrentamos hoje... como precursoras do fim do mundo. O fatalismo inerente em tal filosofia não tem parte na consciência religiosa autêntica". Em 1994, Charles B. Strozier escreveu um livro intitulado *On The Psychology of Fundamentalism (Sobre a Psicologia do Fundamentalismo)*". Nesse livro, ele observou que a parte do cristianismo de crescimento mais rápido era a apocalíptica e milenista, aguardando a volta de Cristo no final da batalha do Armagedom. Strozier tenta explicar o movimento através da psicanálise. Ele afirma que aqueles que aderem ao movimento são "instáveis" e perigosos. Eles sofrem, diz ele, de um **"um tipo de doença coletiva"**.

1 2 Pedro 3:4

263.
Predito O Ódio Aos Cristãos

Jesus disse a Seus discípulos que nos últimos tempos os cristãos seriam odiados por causa do Seu nome.[1] O título "cristão", assim como ocorre com o nome "judeu", recentemente tem se tornado diante do mundo um apelido pejorativo. Parte da razão disso é que o mundo está se afastando dos valores cristãos que costumavam nortear uma grande parte do mesmo. Hoje o ataque completo e sem rodeios já começou. O criador da série Jornada nas Estrelas, Gene Roddenberry, sintetizou a visão anti-Deus. Escrevendo na revista *Time* ele disse: "se o futuro não for para os tímidos, com certeza ele não é para os covardes... **os que insistem que seu governo ou seu sistema econômico são os únicos corretos, merecem o mesmo desprezo que os que insistem que existe um único Deus verdadeiro**". Através do poder da televisão, o mundo vem sendo alimentado, atualmente, por uma postura anticristã. Isso tem sido tão bem sucedido que uma recente pesquisa mostrou que o que os norte-americanos menos gostam é de ter como vizinho um membro de alguma seita. Em seguida estão os cristãos (fundamentalistas)!

1 Mateus 24:9

Profecias Sobre o Nascimento de Jesus

264.

O Único Salvador

A Bíblia é o único livro que contém uma coleção tão vasta de profecias relacionadas à nação de Israel, a outras nações do mundo, a cidades específicas e a toda a raça humana. **E é o único livro que contém profecias sobre um Salvador para a raça humana – o Messias.** Conforme observou Wilbur Smith: "O islamismo não pode apontar para nenhuma profecia do surgimento de Maomé, proferida centenas de anos antes de seu nascimento. Nem podem os fundadores de qualquer culto religioso identificar algum texto antigo especificamente predizendo seu surgimento".[1]

1 Smith, Wilbur M.; The Incomparable Book (O Livro Incomparável); Minneapolis; Becon Publications, 1961.

265.

Abundância de Prenúncios

O Antigo Testamento inclui cerca de sessenta profecias diferentes a respeito da chegada do Messias, com mais de 300 referências. Foi através do cumprimento dessas profecias que foi dito à nação de Israel que ela deveria ser capaz de reconhecer o verdadeiro Messias quando Ele viesse. Os quatro evangelhos registram várias vezes em que Jesus disse que estava cumprindo uma profecia do Antigo Testamento. Lucas 24:27, por exemplo, diz: "E, começando por Moisés, discorrendo por todos os profetas, expunhalhes o que a seu respeito constava em todas as Escrituras". E o versículo 44 menciona: "A seguir, Jesus lhes disse: São estas as palavras que eu vos falei, estando ainda convosco: importava se cumprisse tudo o que de mim está escrito na Lei de Moisés, nos Profetas e nos Salmos".

266.
Parto 'Natural'

Gênesis 3:15 fornece a primeira profecia da vinda do Messias. Nesse versículo, nos é dito que Ele seria "o seu descendente". Gálatas 4:4 nos diz que Jesus Cristo cumpriu essa profecia: "vindo, porém, a plenitude do tempo, Deus enviou seu Filho, nascido de mulher, nascido sob a lei".

267.
Nascido de Uma Virgem

Isaías 7:14 nos diz que a mulher seria uma "virgem". Os capítulos 1 de Mateus e de Lucas confirmam essa profecia e nos contam com absoluta clareza que Jesus Cristo, o Messias, nasceu de uma virgem.

268.
O Filho de Deus

O Salmo 2:7 nos diz que o Messias seria o "Filho de Deus". Depois que Jesus foi batizado e a pomba desceu sobre Ele, Deus disse : "Este é o meu Filho amado, em quem me comprazo" (Mateus 3:17).

269.

Isso é Bastante Específico

O Salmo 110:4 disse que o Messias seria um sacerdote da ordem de Melquisedeque. Hebreus 5:6 diz "Tu és sacerdote para sempre, segundo a ordem de Melquisedeque".

270.

A Semente de Abraão

Deus prometeu a Seu fiel servo Abraão que o Messias seria seu descendente (Gênesis 22:18). A genealogia dada em Mateus 1 confirma que Jesus Cristo era, de fato, descendente da semente de Abraão.

271.

Árvore Genealógica Profetizada

Jeremias 23:5 e Salmo 89:3-4 nos contam que o Messias viria da linhagem do rei Davi. Os evangelhos de Mateus e Lucas fornecem a genealogia do Messias, provando mais uma vez o cumprimento dessa profecia. A princípio parece que as duas genealogias não batem. Entretanto, a linhagem em Mateus é a de José enquanto a genealogia em Lucas é a de Maria. **É através da genealogia de Maria (a "semente" da mulher, já que José não foi o pai biológico de Jesus), que a árvore genealógica da família de Jesus poderia ser relacionada ao rei Davi.** Interessantemente, os registros genealógicos de Jesus foram destruídos juntamente com o templo judaico em 70 d.C., tornando impossível para qualquer pretenso messias provar que ele estaria cumprindo essa profecia.

272.

João Batista Predito

Malaquias 3:1 nos fala de um mensageiro que seria enviado antes da chegada do Messias para proclamar Sua chegada. Esta profecia foi cumprida mais tarde, e o mensageiro foi João Batista (Mateus 3:3, 11:10; João 1:23; Lucas 1:17).

273.

Nascimento e Impostos

Miquéias 5:2 nos diz que o Messias viria da cidade de Belém. Sob as ordens do decreto de César Augusto, mencionado no capítulo 2 do evangelho de Lucas, todos daquela terra foram forçados a retornar aos seus lugares de origem com o intuito de pagar seus impostos. Por causa desse decreto, Maria e José tiveram que retornar a Belém, onde Jesus Cristo nasceu, cumprindo, assim, a profecia de Miquéias.

274.

Milagres de Cura

Isaías 35:5-6 ensina que o Messias iria realizar muitos milagres. "Então, se abrirão os olhos dos cegos, e se desimpedirão os ouvidos dos surdos; os coxos saltarão como cervos, e a língua dos mudos cantará". Os quatro evangelhos dão muitos relatos de tais milagres realizados por Jesus Cristo.

275.

Parábolas

O Salmo 78:2 disse que o Messias iria falar em parábolas, e os quatro evangelhos fazem várias referências às parábolas que Jesus usou em Seus ensinamentos. Mateus 13:34, por exemplo, diz: **"Todas estas coisas disse Jesus às multidões por parábolas e sem parábolas nada lhes dizia"**.

276.

O Templo Precisava Cumprir a Profecia

O Messias teria que vir enquanto o templo judaico ainda existisse, já que a profecia em Malaquias 3:1 diz que ele "de repente, virá ao seu templo...". Mateus 21:12 diz que **"tendo Jesus entrado no templo, expulsou todos os que ali vendiam e compravam..."**. Esse templo foi completamente destruído em 70 d.C. pelos romanos e desde então não existe outro templo.

277.

Na Hora Certa

A Bíblia também profetiza que o Messias viria antes que Israel perdesse o direito de julgar seu próprio povo.[1] Israel perdeu este direito em 11 d.C., quando o Sinédrio ficou impedido de condenar à morte, de acordo com o historiador judeu Flávio Josefo.[2] **Combinadas com as profecias prévias sobre o templo, nós sabemos que o Messias teria que vir antes de 11 d.C. e não depois de 70 d.C. Jesus cumpriu essas duas profecias.**

1 Gênesis 49:10

2 *Antigüidades;* Livro 17, capítulo 13:1-5.

Profecias Sobre a Cruz

278.

Predita A Prática da Crucificação

Como os judeus não podiam mais julgar seus próprios casos passíveis de morte, Jesus não foi morto por apedrejamento, como era o costume judaico. Ao invés disso, Ele foi crucificado, conforme o método romano de execução. Esse é o cumprimento de uma descrição do rei Davi sobre a morte do Messias no Salmo 22. **Ele descreveu a crucificação com muitos detalhes – incluindo a frase "traspassaram-me as mãos e os pés" – 10 séculos antes que a crucificação de Jesus Cristo realmente acontecesse, e 700 anos antes que sequer se falasse em crucificação em Israel!**

279.

Rejeição Pelos Judeus

Os profetas previram que os judeus iriam rejeitar o Messias. O rei Davi disse que "a pedra que os construtores rejeitaram, essa veio a ser a principal pedra, angular".[1] O apóstolo Pedro observa o cumprimento dessa profecia: **"Para vós outros, portanto, os que credes, é a preciosidade; mas, para os descrentes, a pedra que os construtores rejeitaram, essa veio a ser a principal pedra, angular".**[2]

1 Salmo 118:22
2 1 Pedro 2:7

280.
No Dia Exato!

A cronologia precisa da crucificação também foi dada aos judeus quando Deus revelou ao profeta Daniel (9:24) como os judeus poderiam calcular o dia da revelação do Messias. Falando de um período de 490 anos, o profeta previu que esse período começaria "desde a saída da ordem para restaurar e para edificar Jerusalém" (9:5). No livro de Neemias aprendemos que essa ordem foi dada "no mês de nisã [no calendário judaico], no vigésimo ano do rei" (2:1). O rei era Artaxerxes Longimanus, que reinou de 465 a 425 a.C. A data dessa ordem foi calculada de 1 de nisã, 445 a.C. **O profeta Daniel disse que em 483 anos, a partir daquela data, o Messias seria revelado a Israel**, mas então "será morto o Ungido e já não estará" (9:26). Essa profecia se refere à crucificação, quando Jesus foi morto pelos pecados do mundo.

483 anos depois, a partir daquele dia, foi domingo, 6 de abril de 32 d.C. Nesse dia, em que nós comemoramos o Domingo de Ramos, Jesus entrou em Jerusalém montado num jumento e se revelou como o Messias de Israel. Ele foi morto quatro dias depois, cumprindo assim a profecia de que Ele seria revelado e então morto.

281.
Profecia Pascal

As datas em que Jesus foi levado pelas autoridades romanas e então morto também coincidem precisamente com a Páscoa judaica. Jesus se tornou o Cordeiro Pascal "sem defeito". Na primeira Páscoa, descrita em Êxodo 12, Deus instruiu os israelitas a matar um cordeiro sem defeito e a colocar seu sangue nos umbrais das portas. Quando o anjo da morte passou pelo Egito onde os israelitas estavam sendo mantidos como escravos, ele iria passar por cima de qualquer casa que tivesse o sangue do cordeiro de Páscoa em seus umbrais. Jesus cumpriu a profecia de Moisés sobre o Cordeiro Pascal porque é através de Seu sangue que nós podemos ser salvos da morte.

282.

Seus Ossos Não Seriam Quebrados

Na descrição do ritual da Páscoa, Êxodo 12 diz que nenhum osso do cordeiro pascal deveria ser quebrado. O Salmo 34:20 profetizou que os ossos do Messias não seriam quebrados. João 19:33 nos conta que o centurião romano, vendo que Jesus já estava morto na cruz, não quebrou Suas pernas, como era o costume, para acelerar Sua morte.

283.

Montado Num Jumento

No dia em que Jesus entrou em Jerusalém montado num jumento, "cria de jumenta", Ele cumpriu a profecia proferida pelo profeta Zacarias, 500 anos antes. **"Alegra-te muito, ó filha de Sião; exulta, ó filha de Jerusalém: eis aí te vem o teu Rei, justo e salvador, humilde, montado em jumento, num jumentinho, cria de jumenta".**[1]

1 Zacarias 9:9

284.

O Maior Dos Milagres

A Bíblia também predisse a ressurreição. O Salmo 16:10 profetiza que o Messias iria dizer: "Pois não deixarás a minha alma na morte, nem permitirás que o teu Santo veja corrupção". O cumprimento foi registrado em Atos 2:31: "prevendo isto, referiu-se à ressurreição de Cristo, que nem foi deixado na morte, nem o seu corpo experimentou corrupção".

285.

Predita A Ascensão

A profecia da ascensão de Cristo aos céus após Sua ressurreição também foi escrita no Salmo 68. O cumprimento dessa profecia foi registrado em Atos 1:9: "Ditas estas palavras, foi Jesus elevado às alturas, à vista deles, e uma nuvem o encobriu dos seus olhos".

286.

O Justo, à Direita

O Salmo 110:1 nos conta que Cristo se assentaria à direita de Deus. Hebreus 1:3 diz que "depois de ter feito a purificação dos pecados, assentou-se à direita da Majestade, nas alturas".

287.

O Messias Traspassado

Zacarias 12:10 nos diz que um dia, quando Ele vier novamente, os judeus irão olhar para seu Messias "a quem traspassaram". Primeiramente, Suas mãos e pés foram traspassados com os pregos na cruz. Além disso, João 19:34 nos conta que o centurião romano traspassou o lado de Jesus e que sangue e água saíram do local.

288.

Vendido!

O profeta Zacarias[1] disse que o Messias seria vendido por trinta moedas de prata. O capítulo 27 de Mateus revela que Jesus foi traído por Judas Iscariotes exatamente por essa quantia.

1 Zacarias 11:12-13

289.

Traído Por um Amigo

O Salmo 41:9 disse que seria um amigo "que comia do meu pão" quem trairia o Messias. Judas andou com Jesus e com os discípulos durante Seu ministério na Terra, e também comcu do pão e do vinho que Jesus serviu na última ceia, no cenáculo.

290.

Consciência Pesada

Zacarias 11:13 disse que as trinta moedas de prata pelas quais o Messias foi vendido seriam atiradas "na Casa do SENHOR". Mateus 27:5 nos conta que, quando Judas percebeu o que havia feito, atirou as trinta moedas de prata no templo e então se matou.

291.
Dia de Sorte do Oleiro

Zacarias 11:13 nos conta exatamente para que este dinheiro seria usado após ter sido atirado ao templo. O profeta disse que o dinheiro seria atirado para o "oleiro". Mateus 27:7 registra que os principais sacerdotes usaram estas trinta moedas de prata para comprar um campo de oleiro para enterrar estrangeiros.

292.
A Defesa Não Tem Nada a Dizer

Isaías 53:7 profetizou que o Messias "não abriu a boca" para Se defender contra Seus acusadores. Mateus 27:12 registra: "E, sendo acusado pelos principais sacerdotes e pelos anciãos, nada respondeu".

293.
Agressão Descrita

O profeta Isaías disse que os acusadores de Cristo iriam cuspir em Seu rosto, bater em Suas costas e arrancar Sua barba.[1] Mateus 26:67 dá o cumprimento desta profecia: "Então, uns cuspiram-lhe no rosto e lhe davam murros, e outros o esbofeteavam".

1 Isaías 50:6

294.

Na Companhia de Ladrões

Isaías disse que Ele seria "contado com os transgressores".[1] Esta profecia foi claramente cumprida quando Jesus foi crucificado junto a dois ladrões.

1 Isaías 53:12

295.

Odiado Sem Motivo

O Salmo 69:4 disse que o Messias seria odiado sem motivo. O cumprimento dessa profecia foi dado em João 15:25: "Isto, porém, é para que se cumpra a palavra escrita na sua lei: Odiaram-me sem motivo".

296.

Os Apostadores

O fato de que as pessoas iriam lançar sortes sobre as vestes de Cristo na crucificação também foi profetizado no Antigo Testamento.[1] O cumprimento dessa profecia é dado em João 19:23-24, onde lemos: "Os soldados, pois, quando crucificaram Jesus, tomaram-lhe as vestes e fizeram quatro partes, para cada soldado uma parte; e pegaram também a túnica. A túnica, porém, era sem costura, toda tecida de alto a baixo. Disseram, pois, uns aos outros: Não a rasguemos, mas lancemos sortes sobre ela para ver a quem caberá - para se cumprir a Escritura: Repartiram entre si as minhas vestes e sobre a minha túnica lançaram sortes. Assim, pois, o fizeram os soldados".

1 Salmo 22:18

297.

O Que Não Refrescou...

Também foi profetizado que a Jesus seria dado vinagre e fel para beber quando Ele estivesse com sede (Salmo 69:21). Mateus 27:34 diz: "deram-lhe a beber vinho com fel; mas ele, provando-o, não o quis beber".

298.

Palavra Por Palavra

O clamor de Jesus por estar sendo desamparado na cruz foi profetizado no Salmo 22. O versículo 1 disse que Ele iria clamar: "Deus meu, Deus meu, por que me desamparaste? Por que se acham longe de meu salvamento..." Mateus 27:46 registra: "Por volta da hora nona, clamou Jesus em alta voz, dizendo: Eli, Eli, lamá sabactâni? O que quer dizer: Deus meu, Deus meu, por que me desamparaste?"

299.

Acomodações Luxuosas

Isaías 53:9 disse que Ele seria enterrado como se fora um homem rico. O cumprimento dessa profecia foi registrado em Mateus 27 onde nos é dito que Jesus foi enterrado no túmulo de José de Arimatéia, que era um homem rico.

300.
Sejamos Realistas!

Muitos tentam justificar o cumprimento dessas profecias dizendo que Jesus as conhecia de antemão e, para enganar a todos, tentou fazer parecer que Ele as estava cumprindo. Mas como Ele poderia ter o controle de nascer em Belém? Como Ele poderia ter o controle de nascer da linhagem de Davi? Como Ele poderia ter o controle de nascer antes que o cetro fosse tirado de Judá, e ainda durante o período da dominação romana, de forma que pudesse morrer por crucificação, e antes que o templo fosse destruído junto com Seu registro genealógico? Como Ele poderia controlar quando seria crucificado? Como Ele poderia controlar o valor pelo qual Judas O iria trair? Como Ele poderia ter certeza de que os principais sacerdotes usariam este dinheiro para comprar o campo de um oleiro? Como Ele poderia ter a certeza de que, depois que Ele morresse, o centurião romano não quebraria Suas pernas? Como Ele poderia ter certeza de que o centurião romano iria perfurar o Seu lado como uma lança? Existem simplesmente muitas profecias cumpridas com absoluta perfeição por Jesus Cristo para que alguém possa continuar cético a respeito da identidade dEle.

301.
Isto é Simplesmente Impossível

Josh McDowell, em seu livro *Evidência que Exige um Veredito* dá um exemplo da probabilidade de que apenas oito destas profecias acontecessem ao acaso. "Os cálculos de probabilidade apresentados a seguir foram extraídos do livro de Peter Stoner, *Science Speaks (A Ciência Fala)* para mostrar que, ao empregarmos as modernas técnicas de cálculo de probabilidade em relação a oito profecias... '...calculamos que a chance de algum homem ter vivido até o presente e ter cumprido todas as oito profecias é de 1 em 10^{17}. Isso equivale a uma em 100.000.000.000.000.000. A fim de ajudar

202 • 301 Provas & Profecias Surpreendentes

a compreender o que significa uma chance em 10^{17}, Stoner ilustra da seguinte maneira: Apanhemos 10^{17} moedas de prata de um dólar e as coloquemos sobre o estado do Texas*. Elas formarão uma camada de 60 centímetros de espessura cobrindo todo o estado. Agora faça uma marca numa dessas moedas e a misture bem no meio das demais moedas espalhadas sobre o estado. Ponha uma venda nos olhos de um homem e diga-lhe para encontrar a moeda marcada. Que chance ele teria de apanhar a moeda certa? Exatamente a mesma chance que os profetas teriam tido de escrever essas oito profecias e vê-las cumpridas em um homem qualquer, desde a época deles até o presente, contanto que tivessem escrito com base em sua própria sabedoria".[1]

1 McDowell; op. cit.; p.167.

* Área equivalente a pouco mais que os atuais estados de Goiás e Tocantins juntos.

Conclusão

Conclusão

Concluindo

Os evolucionistas da Nova Era sugerem que o homem irá continuar a evoluir, não fisicamente, mas em espécies superiores, espiritual e intelectualmente. Mas quanto tempo o homem tem? Os cientistas têm provado que o universo atual não é eterno. Ele *está* decaindo e se esgotando. Então isso será simplesmente o fim? Embora a comprovação científica nos diga que este mundo irá acabar, significará isso que tampouco o homem é um ser eterno? A Bíblia também nos conta que os atuais céus e terras passarão (2 Pedro 3.7). Mas, por outro lado, ela afirma que o homem é um ser eterno. Portanto, precisamos pensar seriamente sobre onde haveremos de passar a eternidade.

Acreditamos ter fornecido evidência suficiente para fazer com que o ateu ou cético, por mais convicto que seja, ao menos pense acerca de sua visão do mundo e de seu propósito de vida. A evidência exige que um veredito seja pronunciado. Deus existe? Jesus Cristo existe? É Ele o Messias, o Salvador da humanidade através de Quem nós podemos obter a vida eterna no céu? Essas são perguntas sobre as quais nós esperamos que você pense com bastante seriedade. A visão criacionista não provê apenas respostas satisfatórias sobre de onde nós viemos, mas também porque estamos aqui e para onde estamos indo.

Talvez você seja um ateu obstinado, ou um cético determinado. Mas agora você crê que Deus realmente existe. E você pode estar querendo crer que tudo o que Deus diz em Sua palavra, a Bíblia, se tornou verdade, como Ele previu, e irá se tornar verdade exatamente como Ele profetizou. Jesus morreu pelos pecados de toda a humanidade. A única coisa que você tem de fazer é reconhecer que você é apenas um dos pecadores que precisa ser salvo dos pecados. E precisa pedir para Jesus perdoá-lo dos seus pecados, pedir-Lhe para entrar em sua vida e dar a você a salvação eterna, exatamente como Ele prometeu.

É simples assim. Se você está pronto a aceitar isto tudo em seu coração, você pode fazer esta simples oração a Deus:

Querido Pai no céu, eu compreendo que sou pecador e merecedor das chamas do inferno. Neste momento eu confesso meus pecados e Lhe peço perdão pela minha rebelião contra o Senhor e por minha recusa em aceitar o amor de Cristo. Eu aceito o sacrifício que Seu Filho Jesus fez por mim na cruz do Calvário. Eu creio que o Senhor O trouxe da morte. Eu confesso com minha boca que Jesus é o meu Senhor. Obrigado por ouvir esta oração e por me aceitar na família de Deus pelo sangue de Jesus, que cobre os meus pecados. E eu sei que, a partir deste momento, estou salvo. Obrigado, Senhor.

Série A Verdade SOBRE

Dúvidas?
Tire-as com OS FATOS!

13,5 x 19,5cm • 80 páginas

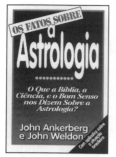

OS FATOS SOBRE
a Astrologia

O Que a Bíblia, a Ciência, e o Bom Senso nos Dizem Sobre a Astrologia?

John Ankerberg e John Weldon

OS FATOS SOBRE
A Vida Após a Morte

O Que São Experiências de Quase-Morte? Existe Reencarnação?

John Ankerberg e John Weldon

OS FATOS SOBRE
a Homossexualidade

Pesquisas Científicas e Autoridade Bíblica: os Homossexuais Podem Realmente Mudar?

John Ankerberg e John Weldon

OS FATOS SOBRE
Os Mórmons

Um Manual Útil para Compreender as Reivindicações do Mormonismo

John Ankerberg e John Weldon

OS FATOS SOBRE
O Movimento da Fé

Qual a Sua Origem, o Que Ensina, a Quem Prejudica

John Ankerberg e John Weldon

OS FATOS SOBRE
OVNIs e Outros Fenômenos Sobrenaturais

Respostas às Perguntas mais Freqüentes

John Ankerberg e John Weldon

OS FATOS SOBRE
Criação e Evolução

• Alguns Cientistas Crêem na Criação?
• Qual a Evidência a Favor da Evolução?
• A Evolução é Compatível com a Bíblia?

John Ankerberg e John Weldon

OS FATOS SOBRE
Os Espíritos-Guias

Como Evitar a Sedução do Mundo dos Espíritos e dos Poderes Demoníacos

John Ankerberg e John Weldon

OS FATOS SOBRE
Saúde Holística e a Nova Medicina

Você Pode Confiar no Seu Médico?

John Ankerberg e John Weldon

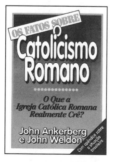

OS FATOS SOBRE
Catolicismo Romano

O Que a Igreja Católica Romana Realmente Crê?

John Ankerberg e John Weldon

OS FATOS SOBRE
ABORTO

Respostas da Ciência e da Bíblia Sobre Quando Começa a Vida

John Ankerberg e John Weldon

OS FATOS SOBRE
Jesus, O MESSIAS

Profecias Incríveis que Provam que Jesus é o Salvador

John Ankerberg e John Weldon

OS FATOS SOBRE
Auto-Estima, Psicologia e o Movimento de Recuperação

John Ankerberg e John Weldon

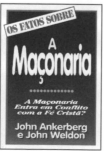

OS FATOS SOBRE
A Maçonaria

A Maçonaria Entra em Conflito com a Fé Cristã?

John Ankerberg e John Weldon

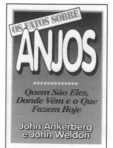

OS FATOS SOBRE
ANJOS

Quem São Eles, Donde Vêm e o Que Fazem Hoje

John Ankerberg e John Weldon

OS FATOS SOBRE
O Movimento da Nova Era

John Ankerberg e John Weldon

Chamada PEDIDOS 0800 **99.50.99**